한시의 현대화 02

눈 속에서 피는 매화

퇴계 이황선생의 매화 사랑

단산 박찬근 편저

퇴계 이황의 사계절시와 매화시

퇴계 이황(1501-1570)은 조선 중기의 유학자이자 문학가로, 그의 문학은 한국 문학의 정수로 평가받고 있다. 퇴계의 문학은 크게 사계절시와 매화시로 나눌 수 있다.

사계절시

퇴계의 사계절시는 자연의 아름다움을 섬세하게 표현한 것으로 유명하다. 그의 시에서 자연은 단순히 감상 대상이 아니라, 삶의 의미와 가치를 생각하게 하는 존재로 나타난다.

봄시는 만물이 소생하는 생동감을 표현한 것으로 유명하다. 봄의 싱그러운 기운을 만끽하는 그의 시를 통해 우리는 삶의 희망과 기대를 준다. 여름시는 무더위 속에서도 지치지 않는 생명력을 표현한 것으로 유명하다. 여름의 강렬한 태양과 뜨거운 열기를 생생하게 묘사한 그의 시를 통해 우리는 삶의 열정과 활력을 느낄 수 있다.

가을시는 풍요로운 결실을 표현한 것으로 유명하다. 가을의 아름다운 풍경과 풍성한 수확을 노래한 그의 시를 통해 우리는 삶의 감사와 기쁨을 준다. 겨울시는 고요하고 쓸쓸한 자연의 모습을 표현한 것으로 유명하다. 겨울의 차가운 공기와 정적을 아름답게 묘사한 그의 시를 통해 우리는 삶의 고뇌와 성찰을 나눌 수 있다.

매화시

퇴계의 매화시는 매화의 고결한 품격과 숭고한 정신을 노래한 것으로 유명하다. 그의 매화시는 단순히 매화를 찬양하는 데 그치지 않고, 삶의 의미와 가치를 생각하게 하는 깊은 울림을 준다.

그의 매화시는 크게 두 가지로 나눌 수 있다. 첫 번째는 매화를 통해 삶의 고결한 정신을 표현한 시이다. 퇴계는 매화를 '추위 속에서도 꽃을 피우는 절개'의 상징으로 여겼다. 그의 시를 통해 우리는 삶의 역경 속에서도 꿋꿋하게 견디는 강인한 정신을 배울 수 있다. 두 번째는 매화를 통해 삶의 아름다움을 표현한 시이다. 퇴계는 매화를 '고독 속에서도 꽃을 피우는 아름다움'의 상징으로 여겼다. 그의 시를 통해 우리는 삶의 소중함과 아름다움을 느낄 수 있다. 퇴계의 사계절시와 매화시는 한국 문학의 대표적인 명작으로, 오늘날에도 많은 사람들에게 사랑받고 있다. 그의 시를 통해 우리는 자연의 아름다움과 삶의 의미를 되새길 수 있다.

그림 3 류경호 작가의 홍매화

\<제목 차례\>

안개 걷힌 봄 산

안개 걷힌 봄 산이 비단처럼 밝은데
진기한 새 화답하며 갖가지로 울어대네
산집에는 요즈음에 찾는 손님 없으니
푸른 풀이 뜰 안 가득 제멋대로 나는구나

霧捲春山錦繡明　무권춘산 금수명
珍禽相和百般鳴　진금상화 백반명
山居近日無來客　산거근일 무래객
碧草中庭滿意生　벽초중정 만의생

해설

이 시(碧草中庭滿意生)에서 선생은 안개 걷힌 봄 산의 아름다운 풍경을 감상하며, 산집의 고즈넉한 분위기를 느낀다. 선생은 봄 산의 아름다움에 매료되어, 자연의 신비로움에 감탄한다. 또한, 산집의 고즈넉함 속에서, 평화롭고 여유로운 삶을 만끽하고자 한다.

첫 번째 구절에서 '안개 걷힌 봄 산이 비단처럼 밝은데'로 시작하니 봄 산의 아름다움을 표현한 것으로, 안개가 걷힌 봄 산은 비단처럼 밝고, 푸른 나무와 꽃들이 어우러져 더욱 아름답습니다. 이러한 자연의 아름다움은 화자의 마음을 평화롭게 만든다.

두 번째 구절에서 '진기한 새 화답하며 갖가지로 울어대네'로 시작하니 봄 산의 생동감을 표현한 것으로, 진기한 새들이 화답하며 갖가지로 울어대며, 봄 산에 생기를 불어넣습니다. 이러한 자연의 생동감은 화자의 마음을 더욱 활기차게 만든다.

세 번째 구절에서 '산집에는 요즈음에 찾는 손님 없으니'로 시작하니 산집의 고즈넉함을 표현한 것으로, 산집에는 요즘 찾아오는 손님이 없으니, 산집은 더욱 고요하고 평화롭습니다. 이러한 산집의 고즈넉함은 화자의 마음을 더욱 여유롭게 만든다.

시의 마지막 구절은 '푸른 풀이 뜰 안 가득 제멋대로 나는구나'로 끝난다. 이는 산집의 자연스러운 모습을 표현한 것으로, 푸른 풀이 뜰 안 가득 제멋대로 자라나니, 산집은 더욱 자연스럽고 아름다워 보입니다. 이러한 산집의 자연스러운 모습은 화자의 마음을 더욱 편안하게 만든다.

이 시를 통해 우리는 자연의 아름다움과 평화로움을 생각해 볼 수 있다. 또한, 자연 속에서는 우리의 마음을 편안하게 해주는 요소들이 있음을 생각해 볼 수 있다.

시 읊고 돌아옴

뜨락에는 비 갠 뒤에 고운 볕이 더딘데
꽃향기는 물씬물씬 옷자락에 스미누나
어찌하여 네 제자가 모두 제뜻 말하는데[1]
시 읊고 돌아옴을 성인이 감탄했나

庭宇新晴麗景遲　정우신청 여경지

花香拍拍襲人衣　화향박박 습인의

如何四子俱言志　여하사자 구언지

聖發咨嗟獨詠歸　성발자차 독영귀

---

[1] 공자가 자로(子路)·증점(曾點)·염유(冉有)·공서화(公西華)에게 각자의 뜻을 말해 보도록 하였는데, 늦봄에 목욕하고 바람 쐬며 시를 읊고 돌아오겠다는 증점의 대답에 유독 감탄하였다.《論語 先進》

해설

이 시(莫憂花下酒杯空)에서 선생은 제자들이 모두 제 뜻을 말하는 데, 시를 읊고 돌아온 것을 성인이 감탄한 이유에 대해 생각한다. 선생은 제자들이 시를 읊고 돌아온 것은, 그들이 자신의 생각을 자유롭게 표현할 수 있는 능력을 갖추었기 때문이라고 생각한다.

첫 번째 구절에서 '뜨락에는 비 갠 뒤에 고운 볕이 더딘데'로 시작하니 자연의 아름다움을 표현한 것으로, 비가 갠 뒤의 뜨락은 고운 볕이 비추고, 꽃향기가 물씬 풍깁니다. 이러한 자연의 아름다움은 화자의 마음을 평화롭게 만든다.

두 번째 구절에서 '꽃향기는 물씬물씬 옷자락에 스미누나'로 시작하니 자연의 아름다움을 표현한 것으로, 꽃향기가 화자의 옷자락에 스미며, 화자의 마음을 더욱 기분 좋게 만든다.

세 번째 구절에서 '어찌하여 네 제자가 모두 제뜻 말하는데'로 시작하니 화자가 제자들의 모습을 보며, 감탄하고 있음을 표현한 것으로, 화자의 제자들은 모두 자신의 생각을 자유롭게 표현할 수 있다.

시의 마지막 구절은 '시 읊고 돌아옴을 성인이 감탄했나'로 끝난다. 이는 화자가 제자들의 모습을 보며, 성인이 감탄한 이유를 생각하고 있음을 표현한 것으로, 선생은 제자들이 시를 읊고 돌아온 것은, 그들이 자신의 생각을 자유롭게 표현할 수 있는 능력을 갖추었기 때문이라고 생각한다.

이 시를 통해 우리는 자신의 생각을 자유롭게 표현할 수 있는 능력의 중요성을 생각해 볼 수 있다.

동자(童子)의 고사리

동자가 산을 찾아 고사리를 캐었으니
반찬이 넉넉하여 시장기를 푸노라
비로소 알겠구나, 당시 전원 돌아온 객
저녁 이슬 옷 적셔도 소원에 어김없음을[2]

童子尋山採蕨薇　동자심산 채궐미
盤飧自足療人飢　반손자족 요인기
始知當日歸田客　시지당일 귀전객
夕露衣沾願不違　석로의점 원불위

---

[2] 도잠(陶潛)의 시에, "달을 띠고 호미 메고 돌아오니, 저녁 이슬이 나의 옷
에 젖는 것은 아깝지 않으나, 다만 소원이 어김없었으면……[帶月荷鋤歸
夕露沾我衣　衣沾不足惜　但使願無違]" 하였다.

해설

이 시(莫憂花下酒杯空)에서 선생은 동자가 산에서 고사리를 캐어 넉넉한 반찬을 마련한 모습을 보고, 당시 전원 생활을 하던 자신의 모습을 떠올린다. 선생은 전원 생활을 하면서, 때로는 저녁 이슬에 옷이 젖을 정도로 힘든 일도 있었지만, 소망을 이루기 위해 꾸준히 노력했다는 것을 기억한다.

첫 번째 구절에서 '동자가 산을 찾아 고사리를 캐었으니'로 시작하니 동자가 고사리를 캐어 소박한 반찬을 마련했다는 것을 표현한 것으로, 동자의 모습은 소박하고 검소한 삶을 살고 있는 화자의 모습을 상징한다.

두 번째 구절에서 '반찬이 넉넉하여 시장기를 푸노라'로 시작하니 화자가 동자의 모습을 보며, 소박한 삶의 소중함을 깨닫고 있음을 표현한 것으로, 선생은 동자의 모습에서, 소박한 삶 속에서도 충분히 행복을 누릴 수 있다는 것을 알게 된다.

세 번째 구절에서 '비로소 알겠구나, 당시 전원 돌아온 객'으로 시작하니 화자가 과거의 경험을 회상하고 있음을 표현한 것으로, 선생은 과거에 전원 생활을 하면서, 소박한 삶의 소중함을 깨닫는다.

시의 마지막 구절은 '저녁 이슬 옷 적셔도 소원에 어김없음을'으로 끝난다. 이는 화자가 과거의 경험을 통해 얻은 교훈을 표현한 것으로, 선생은 과거에 전원 생활을 하면서, 소망을 이루기 위해 꾸준히 노력했다는 것을 기억한다.

이 시를 통해 우리는 소박한 삶의 소중함과, 소망을 이루기 위한 꾸준한 노력의 중요성을 생각해 볼 수 있다.

꽃과 달

꽃빛이 저녁 맞아 달이 동에 떠오르니
꽃과 달 맑은 밤에 의미가 끝이 없네
다만 달이 둥글고 꽃이 지지 않으면
꽃 밑에 술잔 비울 걱정이 없어라

花光迎暮月昇東　화광영모　월승동
花月淸宵意不窮　화월청소　의불궁
但得月圓花未謝　단득월원　화미사
莫憂花下酒杯空　막우화하　주배공

해설

이 시(莫憂花下酒杯空)에서 선생은 꽃과 달이 어우러진 맑은 밤을 감상하며, 삶의 의미에 대해 생각한다. 선생은 꽃과 달이 주는 아름다움에 매료되어, 이러한 아름다움에 대한 의미를 찾고자 한다.

선생은 달이 둥글고 꽃이 지지 않으면, 꽃 밑에 술잔을 비울 걱정이 없다고 말한다. 이는 화자가 꽃과 달이 주는 아름다움 속에서 삶의 의미와 희망을 찾고 있음을 의미한다.

첫 번째 구절에서 '꽃빛이 저녁 맞아 달이 동에 떠오르니'로 시작하니 꽃과 달이 어우러진 밤의 아름다움을 표현한 것으로, 꽃과 달이 어우러진 밤은 그 자체로 의미가 있다.

두 번째 구절에서 '꽃과 달 맑은 밤에 의미가 끝이 없네'로 시작하니 화자가 꽃과 달이 주는 아름다움에 매료되어 있음을 표현한 것으로, 선생은 꽃과 달이 주는 아름다움에 대해 더 알고 싶어한다.

세 번째 구절에서 '다만 달이 둥글고 꽃이 지지 않으면'으로 시작하니 화자가 꽃과 달이 주는 아름다움 속에서 삶의 의미와 희망을 찾고 있음을 표현한 것으로, 선생은 달이 둥글고 꽃이 지지 않는 한, 삶은 아름답고 의미가 있다고 믿는다.

시의 마지막 구절은 '꽃 밑에 술잔 비울 걱정이 없어라'로 끝난다. 이는 화자가 꽃과 달이 주는 아름다움 속에서 행복을 찾고 있음을 표현한 것으로, 선생은 꽃 밑에 앉아 술잔을 비우며, 삶의 아름다움을 만끽하고 싶어한다.

이 시를 통해 우리는 삶의 의미와 희망을 자연에서 찾을 수 있음을 생각해 볼 수 있다. 또한, 자연은 우리에게 위로와 안식을 줄 수 있음을 생각해 볼 수 있다.

새벽의 뜰

새벽 빈 뜰 거닐자니 대 이슬이 맑았어라
헌함(軒檻) 열고 멀리 보니 첩첩 산들 푸르러라
작은 아이 으레 빨리 물을 길어 가져오니
세수하면 탕의 반(盤)에 나날의 계명(誡命)3)있네

晨起虛庭竹露淸　　신기허정 죽로청
開軒遙對衆山靑　　개헌요대 중산청
小童慣捷提瓶水　　소동관첩 제병수
澡瀨湯盤日戒銘　　조회탕반 일계명

---

3) 탕 임금이 세수하는 반(盤)의 명(銘)에, "날마다 새롭고 또 날마다 새롭다." 하였다.

해설

이 시(澡頮湯盤日戒銘)에서 선생은 새벽에 빈 뜰을 거닐며, 자연의 아름다움을 감상한다. 선생은 대 이슬이 맑고, 첩첩 산들이 푸르다는 것을 보고, 마음이 평화롭게 된다.

화자의 자녀가 물을 길어다 주자, 선생은 세수를 한다. 세수하면서, 선생은 하루를 시작하며, 나날의 계명을 새기게 된다.

첫 번째 구절에서 '새벽 빈 뜰 거닐자니 대 이슬이 맑았어라'로 시작하니 자연의 아름다움을 표현한 것으로, 새벽의 빈 뜰에는 대 이슬이 맑게 맺혀 있다. 이러한 자연의 아름다움은 화자의 마음을 평화롭게 만든다.

두 번째 구절에서 '헌함 열고 멀리 보니 첩첩 산들 푸르러라'로 시작하니 자연의 아름다움을 표현한 것으로, 헌함(軒檻)을 열어 보니, 멀리 첩첩 산들이 푸르게 보입니다. 이러한 자연의 아름다움은 화자의 마음을 더욱 감탄하게 만든다.

세 번째 구절에서 '작은 아이 으레 빨리 물을 길어 가져오니'로 시작하니 화자의 가족을 표현한 것으로, 작은 아이가 물을 길어다 주니, 선생은 가족의 사랑을 느낀다.

시의 마지막 구절은 '세수하면 탕의 반에 나날의 계명있네'로 끝난다. 이는 화자의 다짐을 표현한 것으로, 세수를 하며, 선생은 하루를 시작하며, 나날의 계명을 새기게 된다.

이 시를 통해 우리는 자연 속에서 평화와 여유를 찾을 수 있음을 생각해 볼 수 있다. 또한, 가족의 사랑과 나날의 계명은 우리에게 삶의 의미를 부여한다고 생각해 볼 수 있다.

고즈넉한 한낮 산속 서당

고즈넉한 한낮 서당 햇빛도 밝을시고
우거진 고운 나무 처마 끝에 둘렀구나
북창 아래 높이 누워 희황씨4) 이전인 듯
시원한 산들바람 새소리를 보내오네

畫靜山堂白日明　주정산당 백일명
蔥瓏嘉樹遶簷楹　총롱가수 요첨영
北窓高臥羲皇上　북창고와 희황상
風送微涼一鳥聲　풍송미량 일조성

---

4) 도잠이 6월에 북창 아래 누워서, "희황(羲皇) 이전의 사람이다." 하였다.
　희황은 태고 시대의 임금 복희씨(伏羲氏)를 말한 것이다.

해설

이 시(風送微凉一鳥聲)에서 선생은 고즈넉한 한낮의 서당에서 평화로운 시간을 보내고 있다. 선생은 밝은 햇빛과 우거진 나무, 시원한 산들바람을 느끼며, 마치 희황씨 이전의 태평성대를 떠올린다.

첫 번째 구절에서 '고즈넉한 한낮 서당 햇빛도 밝을시고'로 시작하니 자연의 아름다움을 표현한 것으로, 고즈넉한 한낮의 서당은 햇빛이 밝게 비쳐 자연의 아름다움은 화자의 마음을 평화롭게 만든다.

두 번째 구절에서 '우거진 고운 나무 처마 끝에 둘렀구나'로 시작하니 자연의 아름다움을 표현한 것으로, 우거진 나무는 처마 끝을 아름답게 장식한다. 이러한 자연의 아름다움은 화자의 마음을 더욱 감탄하게 만든다.

세 번째 구절에서 '북창 아래 높이 누워 희황씨 이전인 듯'으로 시작하니 화자의 감정을 표현한 것으로, 선생은 북창 아래 높이 누워, 마치 희황(羲皇)씨 이전의 태평성대를 떠올린다. 이러한 화자의 마음은 자연의 평화로움에서 비롯된 것이다.

시의 마지막 구절은 '시원한 산들바람 새소리를 보내오네'로 끝난다. 이는 자연의 소리를 표현한 것으로, 시원한 산들바람에 새소리가 섞여 들려옵니다. 이러한 자연의 소리는 화자의 마음을 더욱 평화롭게 만든다.

이 시를 통해 우리는 자연 속에서 평화와 여유를 찾을 수 있음을 생각해 볼 수 있고, 자연은 우리에게 평안과 위로를 줄 수 있음을 생각해 볼 수 있다.

석양의 고운 빛깔

석양의 고운 빛깔 시내와 산 움직이니
바람 자고 구름 한가한데 새는 절로 돌아오네
홀로 앉은 깊은 회포 뉘와 얘기할꼬
바위 언덕 고요하고 물은 졸졸 흐르누나

夕陽佳色動溪山　석양가색 동계산
風定雲閒鳥自還　풍정운한 조자환
獨坐幽懷誰與語　독좌유회 수여어
巖阿寂寂水潺潺　암아적적 수잔잔

해설

이 시(巖阿寂寂水潺潺)에서 선생은 석양의 아름다운 풍경을 바라보며, 깊은 회포를 느낀다. 선생은 석양의 고운 빛깔에 시내와 산이 움직이는 것처럼 느낀다. 바람은 자고 구름은 한가하다. 이러한 자연의 평화로움은 화자의 마음을 더욱 쓸쓸하게 만든다. 선생은 홀로 느끼는 깊은 회포를 누구와 얘기할지 모르겠다고 말한다. 바위 언덕은 고요하고, 물은 졸졸 흐른다. 이러한 자연의 모습은 화자의 쓸쓸함을 더욱 강조했고,

첫 번째 구절에서 '석양의 고운 빛깔 시내와 산 움직이니'로 시작하니 자연의 아름다움을 표현한 것으로, 석양의 고운 빛깔은 시내와 산을 더욱 아름답게 만든다. 이러한 자연의 아름다움은 화자의 마음을 사로잡는다.
두 번째 구절에서 '바람 자고 구름 한가한데 새는 절로 돌아오네'로 시작하니 자연의 평화로움을 표현한 것으로, 바람은 자고 구름은 한가하다. 이러한 자연의 평화로움은 화자의 마음을 더욱 쓸쓸하게 만든다.
세 번째 구절에서 '홀로 앉은 깊은 회포 뉘와 얘기할꼬'로 시작하니 화자의 감정을 표현한 것으로, 선생은 깊은 회포를 느낀다. 이러한 회포는 화자의 외로움과 고독을 나타내고 있다.
시의 마지막 구절은 '바위 언덕 고요하고 물은 졸졸 흐르누나'로 끝난다. 이는 자연의 모습을 표현한 것으로, 바위 언덕은 고요하고, 물은 졸졸 흐른다. 이러한 자연의 모습은 화자의 쓸쓸함을 더욱 강조했고,

고요한 밤

텅 빈 산 고요한 집 달은 절로 밝은데
이부자리 말쑥해라 꿈도 역시 맑구나
깨어나 말 않으니 알괘라 무슨 일고
한밤중 학의 소리 누워서 듣노라

院靜山空月自明　원정산공 월자명
翛然衾席夢魂淸　소연금석 몽혼청
寤言弗告知何事　오언불고 지하사
臥聽皐禽半夜聲　와청고금 반야성

해설

이 시(殘暑全銷昨夜風)에서 선생은 고요한 산속에서 맑은 달을 바라보며, 평화로운 마음을 느낀다. 선생은 이부자리도 말쑥하고, 꿈도 맑았다고 말한다. 이는 화자가 마음의 평화를 얻었다는 것을 의미한다.

선생은 깨어나서도 꿈속에서의 평화로운 느낌을 잊지 못하는데, 그는 무슨 일이 일어난 것인지 알 수 없지만, 그저 편안한 마음으로 학의 소리를 듣고 있다.

첫 번째 구절에서 '텅 빈 산 고요한 집 달은 절로 밝은데'로 시작하니 자연의 아름다움을 표현한 것으로, 텅 빈 산과 고요한 집에 비친 달은 더욱 밝게 빛난다. 이러한 자연의 아름다움은 화자의 마음을 평화롭게 만든다.

두 번째 구절에서 '이부자리 말쑥해라 꿈도 역시 맑구나'로 시작하니 화자가 느끼는 감정을 표현한 것으로, 이부자리가 말쑥하고, 꿈도 맑았다는 것은 화자가 마음의 평화를 얻었다는 것을 의미한다.

세 번째 구절에서 '깨어나 말 않으니 알괘라 무슨 일고'로 시작하니 화자의 생각을 표현한 것으로, 선생은 깨어나서도 꿈속에서의 평화로운 느낌을 잊지 못하는데, 그는 무슨 일이 일어난 것인지 알 수 없지만, 그저 편안한 마음으로 학의 소리를 듣고 있다.

시의 마지막 구절은 '한밤중 학의 소리 누워서 듣노라'로 끝난다. 이는 화자가 느끼는 평화로운 마음을 표현한 것으로, 선생은 한밤중 들려오는 학의 소리를 들으며, 편안한 마음을 느낀다.

도(道)

어젯밤 바람 불어 남은 더위 사라지고
아침 되어 서늘함이 가슴속에 스미는데
영균(靈均)이 원래 도를 말한 것[5]이 아니라면
어이하여 천년 뒤에 회옹(晦翁)이 느끼겠나

殘暑全銷昨夜風	잔서전소 작야풍
嫩涼朝起灑襟胸	눈량조기 쇄금흉
靈均不是能言道	영균불시 능언도
千載如何感晦翁	천재여하 감회옹

해설

이 시(殘暑全銷昨夜風)에서 선생은 어젯밤 바람이 불어 남은 더위
가 사라지고, 아침이 되어 서늘함이 가슴속에 스며드는 것을 느낀
다. 이러한 자연의 변화를 통해 선생은 도(道)를 느낀다.
선생은 영균(靈均)이 도를 말한 것이 아니라면, 천년 뒤에 회옹(晦
翁)이 이러한 감정을 느낄 수 없을 것이라고 생각한다. 영균은 중
국의 당나라 시인으로, 자연을 노래한 시로 유명하다. 회옹은 중국

---

5) 영균은 굴원(屈原)의 자로, 회옹(晦翁) 즉 주희가 《초사(楚辭)》를 주석하
  였다.

의 송나라 시인으로, 영균의 시를 존경하며, 그의 시를 답으로 들었다.

첫 번째 구절에서 '어젯밤 바람 불어 남은 더위 사라지고'로 시작하니 자연의 변화를 표현한 것으로, 어젯밤 바람이 불어 남은 더위가 사라지니, 아침은 서늘한데, 이러한 자연의 변화는 화자의 마음을 평온하게 만든다.

두 번째 구절에서 '아침 되어 서늘함이 가슴속에 스미는데'로 시작하니 화자가 느끼는 감정을 표현한 것으로, 아침의 서늘함은 화자의 가슴속에 스며드니, 이러한 감정은 화자의 마음속에 도를 일깨워준다.

세 번째 구절에서 '영균이 원래 도를 말한 것이 아니라면'으로 시작하니 화자의 생각을 표현한 것으로, 선생은 영균이 도를 말한 것이 아니라면, 천년 뒤에 회옹이 이러한 감정을 느낄 수 없을 것이라고 생각한다. 이는 영균의 시가 도를 담고 있다는 것을 의미한다.

시의 마지막 구절은 '어이하여 천년 뒤에 회옹이 느끼겠나'로 끝난다. 이는 화자의 확신을 표현한 것으로, 선생은 영균의 시가 도를 담고 있기 때문에, 천년 뒤에 회옹이 이러한 감정을 느낄 수 있다고 생각해 본다.

한낮의 쓸쓸한 서당

서리 내려 하늘 비고 매는 한창 호기(豪氣) 나니
물가의 바위 끝에 서당 하나 높구나
요즘 와서 삼경6)이 유난히도 쓸쓸하여
국화를 쥐고 앉아 도연명(陶淵明)을 생각하네

霜落天空鷹隼豪　상락천공 응준호

水邊巖際一堂高　수변암제 일당고

近來三徑殊牢落　근래삼경 수뢰락

手把黃花坐憶陶　수파황화 좌억도

해설

이 시(霜落天空鷹隼豪)에서 선생은 쓸쓸한 밤에 도연명을 생각한
다. 서리 내리는 하늘과 호기로운 매의 모습은 쓸쓸한 분위기를 더
한다.
선생은 요즘 와서 삼경이 유난히도 쓸쓸하다고 말한다. 삼경(三徑)

---

6) 삼경(三徑) :한(漢)나라 장허(蔣詡)가 대밭 속에 숨어 살면서, 세 길[三
徑]을 내어 뜻맞는 친구 양중(羊仲)·구중(裘仲)과 왕래하였다. 도잠(陶
潛)이 지은 〈귀거래사(歸去來辭)〉에 "삼경은 묵었으나, 솔과 국화는 아직
남았네." 하였다.

은 자주 다니던 길로 국화를 쥐고 앉아 도연명을 생각한다. 도연명은 중국의 당나라 시인으로, 자연을 노래한 시로 유명하다. 선생은 도연명의 시를 통해 위로와 위안을 얻고자 한다.

첫 번째 구절에서 '서리 내려 하늘 비고 매는 한창 호기 나니'로 시작하니 쓸쓸한 분위기를 표현한 것으로, 서리가 내리는 하늘과 호기로운 매의 모습은 쓸쓸한 분위기를 더한다.
두 번째 구절에서 '물가의 바위 끝에 서당 하나 놓구나'로 시작하니 화자가 있는 곳의 모습을 표현한 것으로, 물가의 바위 끝에 있는 서당은 고요하고 고립된 느낌을 준다. 이러한 분위기는 화자의 쓸쓸함을 더욱 강조했고,
세 번째 구절에서 '요즘 와서 삼경이 유난히도 쓸쓸하여'로 시작하니 화자가 느끼는 쓸쓸함을 표현한 것으로, 선생은 요즘 와서 삼경이 유난히도 쓸쓸하다고 말한다. 이러한 쓸쓸함은 화자의 외로움과 고독을 나타내고 있다.
시의 마지막 구절은 '국화를 쥐고 앉아 도연명을 생각하네'로 끝난다. 이는 화자가 도연명을 통해 위로와 위안을 얻고자 하는 모습을 표현한 것으로, 선생은 국화를 쥐고 앉아 도연명의 시를 떠올린다. 도연명의 시를 통해 선생은 자신의 쓸쓸함을 잠시나마 잊을 수 있을 것이다.

이 시를 통해 우리는 쓸쓸함을 느낄 때, 자연이나 문학에서 위로와 위안을 얻을 수 있음을 생각해 볼 수 있다.

가을 서당의 풍경

가을 서당의 조망을 뉘와 함께 즐길까?
단풍숲에 석양이 드니 그림보다 낫구나.
갑자기 서쪽 바람 지나가는 기러기에게 불어보니,
옛 친구는 편지를 보내 올까 안 올까나.

秋堂眺望與誰娛　추당조망 여수오
夕照楓林勝畫圖　석조풍림 승화도
忽有西風吹雁過　홀유서풍 취안과
故人書信寄來無　고인서신 기래무

해설

이 시(故人書信寄來無)에서 선생은 가을 서당의 아름다운 풍경을 감상하며, 옛 친구를 생각하며 선생은 가을 서당의 조망을 함께 즐길 친구를 그리워한다. 또한, 단풍숲에 지는 석양은 그림보다 더 아름답다고 생각해 함께 즐길 친구가 있었으면 좋겠다는 생각을 한다.

갑자기 서쪽 바람에 지나가는 기러기를 보며, 선생은 옛 친구를 떠올린다. 기러기는 떠나는 새라는 이미지로, 옛 친구의 떠남을 상징한다. 선생은 옛 친구가 편지를 보내 올까 안 올까 걱정한다. 옛 친구의 편지를 받게 된다면, 옛 친구의 안부를 들을 수 있을 것이다. 또한, 옛 친구와 함께 가을 서당의 아름다운 풍경을 다시 한번 감상할 수 있을 것이다.

첫 번째 구절에서 '가을 서당의 조망을 뉘와 함께 즐길까?'로 시작하니 화자가 옛 친구를 그리워하고 있음을 표현한 것으로, 선생은 가을 서당의 아름다운 풍경을 함께 즐길 친구를 그리워한다.

두 번째 구절에서 '단풍숲에 석양 드니 그림보다 낫구나'로 시작하니 가을 서당의 아름다운 풍경을 표현한 것으로, 단풍숲에 석양이 드니, 마치 그림처럼 아름다운 풍경은 화자의 마음을 평화롭게 만든다.

세 번째 구절에서 '갑자기 서쪽 바람 지나가는 기러기에게 부는데'로 시작하니 화자가 옛 친구를 떠올리고 있음을 표현한 것으로, 갑자기 지나가는 기러기를 보며, 선생은 옛 친구를 떠올린다.

시의 마지막 구절은 '옛 친구는 편지를 보내 올란가 안 올란가'로 끝난다. 이는 화자가 옛 친구의 편지를 기다리고 있음을 표현한 것으로, 선생은 옛 친구의 편지를 받게 된다면, 옛 친구의 안부를 들을 수 있을 것이다. 또한, 옛 친구와 함께 가을 서당의 아름다운 풍경을 다시 한번 감상할 수 있을 것이다.

이 시를 통해 우리는 친구의 소중함을 생각해 볼 수 있다. 또한, 자연 속에서 평화와 여유를 찾는 것은 어떨까요?

참된 소식

차가운 못에 달이 비치고 하늘은 맑구나
그윽한 이 한 칸 방이 고요하고 밝구나
그 가운데 스스로 참된 소식이 있나니
선의 공(空)도 아니요, 도가의 명(冥)7)도 아니라네

月映寒潭玉宇淸　월영한담 옥우청
幽人一室湛虛明　유인일실 담허명
箇中自有眞消息　개중자유 진소식
不是禪空與道冥　불시선공 여도명

---

7) 불교에서는 공(空)을 주장하고, 도가에서는 명(冥)을 주장한다. 명은 모든
   정(情)과 생각을 초월(超越)한 이상경(理想境)이다.

해설

이 시(山居四時各四吟)에서 선생은 차가운 못과 맑은 하늘을 바라보며, 참된 소식(消息)을 발견한다. 그 참된 소식(생성과 소멸)은 선(禪)의 공도 아니요, 도가(道家)의 명(冥)도 아니고 그저 자연의 아름다움과 고요함에서 비롯되는 것이다.

현대 사회에서도 우리는 종종 자연 속에서 참된 소식을 발견할 수 있다. 자연은 우리에게 평화와 여유를 선사하며, 우리의 마음을 열어준다. 이 시에서 선생은 차가운 못과 맑은 하늘을 바라보며, 마음의 평화와 여유를 얻고 그 속에서 그는 참된 생장과 사라짐의 이치를 깨닫는다.

이 시를 통해 우리는 자연 속에서 참된 소식(생성과 소멸)을 발견할 수 있음을 생각해 볼 수 있다. 자연 속에서 평화와 여유를 찾고, 참된 소식을 발견하는 것은 어떨까요?

겨울 아침의 고요함

우뚝 솟은 봉우리들 찬 하늘을 찌르고
뜰 아래의 국화는 아직 떨기 남았네
땅을 쓸고 향 사르니 다른 일 전혀 없고
종이창에 해 비치니 밝기가 마음 같네

群峯傑卓入霜空	군봉걸탁 입상공
庭下黃花尚倚叢	정하황화 상의총
掃地焚香無外事	소지분향 무외사
紙窓銜日皦如衷	지창함일 교여충

해설

이 시(山居四時各四吟)에서 선생은 겨울의 고요함을 표현하고 있는데, 봉우리들은 찬 하늘을 찌르며, 국화는 아직 떨기만 남아 있다. 선생은 땅을 쓸고 향을 사르며, 다른 일은 전혀 하지 않지만, 종이창에 비친 해는 화자의 마음과 같다.

현대 사회에서도 우리는 종종 겨울과 같은 고요함을 필요로 한다. 세상일에서 벗어나, 자신의 마음과 생각을 들여다볼 시간을 가져야 한다. 이 시에서 선생은 겨울을 이러한 고요함의 시간으로 받아들인다. 그는 산 봉우리와 국화를 바라보며, 자연의 아름다움을 감상하고, 땅을 쓸고 향을 사르며, 자신의 마음과 생각을 정리한다. 종이창에 비친 해는 마음의 평화와 여유를 선사한다.

첫 번째 구절에서 '우뚝 솟은 봉우리들 찬 하늘을 찌르고'로 시작하니 겨울의 찬 공기를 표현한 것으로, 봉우리들은 찬 하늘을 찌르며, 겨울의 찬 공기를 더욱 강조했고,
두 번째 구절에서 '뜰 아래의 국화는 아직 떨기 남았는데'로 시작하니 겨울에도 불구하고 아직 남아 있는 자연의 아름다움을 표현한 것으로, 국화는 아직 떨기만 남아 있지만, 그 아름다움은 여전한다.
세 번째 구절에서 '땅을 쓸고 향 사르니 다른 일 전혀 없고'로 시작하니 화자가 겨울을 고요함의 시간으로 보내고 있음을 표현한 것으로, 그는 땅을 쓸고 향을 사르며, 다른 일은 전혀 하지 않지만, 이러한 행동은 선생에게 마음의 평화와 여유를 선사한다.
시의 마지막 구절은 '종이창에 해 비치니 밝기가 마음 같네'로 끝난다. 이는 화자가 겨울의 고요함 속에서 마음의 평화와 여유를 느끼고 있음을 표현한 것으로, 종이창에 비친 해는 선생에게 마음의 평화와 여유를 선사한다.

겨울의 휴식

추운 겨울이 깊숙이 찾아오니
세상일은 모두 잊어버리네.
꽃 가꾸고 대 돌보며
여윈 몸을 추스르네.

찾아오는 손님을 은근히 사절하니
겨울 석 달 동안은
손님 영접을 끊으려네

寒事幽居有底營　한사유거 유저영
藏花護竹攝贏形　장화호죽 섭리형
慇懃寄謝來尋客　은근기사 내심객
欲向三冬斷送迎　욕향삼동 단송영

해설

이 시(山居四時各四吟)에서 선생은 겨울이 찾아오자 세상일을 모두 잊고, 꽃 가꾸고 대 돌보는 등 자신의 몸을 돌보는 데에만 집중한다. 또한, 찾아오는 손님을 은근히 사절하며, 겨울 석 달 동안은 손님 영접을 끊을 것을 결심한다.

현대 사회에서도 우리는 종종 겨울과 같은 휴식이 필요하니, 세상일에서 벗어나, 자신의 몸과 마음을 돌볼 시간을 가져야 한다. 이 시에서 선생은 겨울을 이러한 휴식의 시간으로 받아들인다. 그는 꽃 가꾸고 대 돌보는 등 자연과 함께하며, 여윈 몸을 추스릅니다. 또한, 찾아오는 손님을 은근히 사절하며, 자신의 시간을 온전히 자신에게 돌린다.

저녁의 두려움

나무는 모두 뿌리로 돌아가고[8]
해는 짧아지고 있다
내 낀 수풀은 쓸쓸하고
새는 깊이 깃들어 있다

옛날부터 저녁에 두려워함은
은밀한 곳에서 게으름과 욕심을 막는 것이다

萬木歸根日易西　만목귀근 일이서
烟林蕭索鳥深棲　연림소색 조심서
從來夕惕緣何意　종래석척 연하의
怠欲須防隱處迷　태욕수방 은처미

---

8) 가을에 나무들이 모두 잎이 떨어지는 것을 뿌리로 돌아간다 한다.

해설

이 시(山居四時各四吟)에서 선생은 쓸쓸한 저녁 풍경을 바라보며, 옛날부터 내려온 저녁에 대한 두려움에 대해 생각한다. 저녁은 해가 짧아지고, 자연이 잠드는 시간, 또한, 은밀한 곳에서 게으름과 욕심이 발호할 수 있는 시간으로 선생은 저녁을 두려워하며, 그 두려움의 근원을 게으름과 욕심이라고 생각한다.

이 시를 통해 우리는 저녁에 대한 두려움의 의미를 생각해 볼 수 있다. 저녁에 대한 두려움은 게으름과 욕심을 극복하기 위한 방책이 될 수 있다.

겨울밤의 고독

눈이 흐려져 안 보여 등불이 두렵네
늙고 병들어 겨울밤은 길고 지루하네
책을 읽지 않아도 읽는 것보다 나으리
서리보다 차가운 달을 앉아서 보았다네

눈이 흐려져 세상이 보이지 않는다
등불을 켜고 책을 읽고 싶지만
늙고 병들어 손이 떨려 두렵다

겨울밤은 길고 지루하다
책을 읽어도 마음이 채워지지 않는다
차라리 서리보다 차가운 달을 보며
고독을 달래고 싶다

眼花尤怕近燈光　안화우파　근등광
老病偏知冬夜長　노병편지　동야장
不讀也應猶勝讀　부독야응　유승독
坐看窓月冷於霜　좌간창월　냉어상

해설

이 시(山居四時各四吟)의 선생은 나이가 들어 눈이 흐려지고 병들어 겨울밤을 지새우는 중, 눈이 흐려져 세상이 보이지 않아 등불을 켜고 책을 읽고 싶지만, 늙고 병들어 손이 떨려 두렵다 하고 있다. 또한, 겨울밤은 길고 지루하여 책을 읽어도 마음이 채워지지 않아서 선생은 차라리 서리보다 차가운 달을 보며 고독을 달래고 싶어 한다.

이 시에서 선생은 노쇠와 병듦으로 인해 삶의 활력을 잃어버린 모습을 보여준다. 선생은 세상을 보는 눈이 흐려지고, 몸이 떨려 일을 할 수 없으며, 겨울밤은 길고 지루해 삶의 덧없음과 고독을 느끼게 한다.

그러나 선생은 이러한 상황 속에서도 삶의 의미를 찾으려는 모습을 보여주고 있다. 선생은 서리보다 차가운 달을 보며 고독을 달래고자 하니, 이는 삶의 고독과 공허함 속에서도 여전히 아름다움을 발견하고자 하는 의지를 보여주는 것이다.

매화꽃의 기약

호수 위의 산당에 매화꽃이
봄을 만나 주인을 기다리리
지난해 가을에도 국화꽃을 저버렸으니
아름다운 그 기약을 차마 또 저버리랴

호수 위의 산당에 피어난 매화꽃은
봄을 만나 주인을 그리워한다
지난해 가을에도
국화꽃을 피우지 못하고 저버렸으니
아름다운 그 기약을 차마 또 저버릴 수 없다

湖上山堂幾樹梅　호상산당 기수매

逢春延佇主人來　봉춘연저 주인래

去年已負黃花節　거년이부 황화절

那忍佳期又負回　나인가기 우부회

해설

이 시(憶陶山梅)는 호수 위의 산당에 피어난 매화꽃이 봄을 만나 주인을 기다리는 모습을 그린 시로, 첫째 구절에서 매화꽃은 봄을 만나 주인을 기다리니 매화꽃이 봄의 꽃이라는 상징적 의미와 함께, 주인을 그리워하는 매화꽃의 마음을 표현한 것으로 볼 수 있다. 둘째 구절에서 매화꽃은 지난해 가을에도 국화꽃을 저버렸다고 한다. 이는 매화꽃이 지난해 가을에도 봄을 만나 주인을 기다렸지만, 그 기약을 지키지 못했다는 의미로, 이는 매화꽃의 안타까움과 실망을 표현한 것으로 볼 수 있다. 셋째 구절에서 매화꽃은 아름다운 그 기약을 차마 또 저버릴 수 없다고 한다. 이는 매화꽃이 지난해의 실패를 되풀이하고 싶지 않다는 마음과 함께, 주인과의 아름다운 기약을 지키고자 하는 의지를 표현한 것으로 볼 수 있다.

이 시는 매화꽃을 통해 주인에 대한 그리움과 기약을 지키고자 하는 의지를 표현한 시로 매화꽃의 순수하고 아름다운 모습과 함께, 주인에 대한 깊은 애정을 느낄 수 있는 시라고 생각한다.

잃어버린 벗

병인년(丙寅年)에 바다 신선을 만난 듯
정묘년(丁卯年)에 하늘로 오를 듯했던 너
어찌 오랫동안 서울 티끌에 물들어
매군 향해 끊어진 줄 잇지 못하니

병인년에 바다 신선을 만난 듯한
너의 모습은
내 가슴에 영원히 남아 있다
정묘년에 나를 맞아
하늘로 오를 듯했던 너의 모습은
내 꿈에 아직도 살아 있다

하지만 그 이후로
너는 오랫동안 서울 티끌에 물들어
매군 향해 끊어진 줄 잇지 못하고 있다9)
너는 무슨 마음으로 이렇게 살아가고 있는가

---

9) 거문고를 타다가 줄이 끊어지면 다시 잇는 것을 속현(續絃)이라 하는데,
세속에서는 상처하고 재혼하는 것을 속현이라 한다. 여기서는 매화와 다시
끊어졌던 인연을 맺는다는 뜻이다.

丙歲如逢海上仙　병세여봉　해상선
丁年迎我似登天　정년영아　사등천
何心久被京塵染　하심구피　경진염
不向梅君續斷絃　불향매군　속단현

해설

이 시(憶陶山梅)는 선생이 과거에 사랑했던 매화를 그리워하는 마음을 표현하고 있다. 첫째 구절에서 선생은 병인년에 바다 신선을 만난 듯한 매화의 모습을 회상하니 매우 아름다웠고, 선생에게 특별한 존재였음을 나타내고 있다. 둘째 구절에서 선생은 정묘년에 하늘로 오를 듯 만나기 어려웠다고 하니 매화가 선생에게 매우 큰 희망과 기대를 주었던 존재였음을 나타내고 있다.

하지만 그 이후로 오랫동안 서울 티끌에 물들어 매화와의 인연이 끊어진 줄 알고 있다. 이는 그 사람이 현실의 삶에 찌들어 본래의 모습을 잃어버렸다는 것을 의미한다. 선생은 매화의 현재 모습에 실망하고, 무슨 마음으로 이렇게 살아가고 있는지 묻는다.

이 시는 과거 매화 사랑에 대한 그리움과 실망의 마음을 표현한 시입니다. 선생은 과거에 그 관계를 통해 꿈과 희망을 느꼈지만, 현재는 시들어가는 모습에 실망하고 있다. 이 시를 통해 우리는 현실의 삶 속에서 꿈과 희망을 잃지 않도록 노력해야 한다는 교훈을 얻을 수 있다.

도산(陶山)의 벗

도산의 벗10)이 쓸쓸하다니
내 마음도 서늘하다
공(公)이 돌아오면
더는 세상을 피하지 않겠네

함께 마주 앉아 생각할 때
옥설(玉屑)의 맑음과 참됨을
고이 간직하리라

聞說陶仙我輩涼　문설도선 아배량
待公歸去發天香　대공귀거 발천향
願公相對相思處　원공상대 상사처
玉雪淸眞共善藏　옥설청진 공선장

---

10) 퇴계가 도산에 매화 · 국화 · 연꽃을 심어 두고 절우사(節友社)라 하였다.

해설

이 시(盆梅答)의 선생은 도산을 벗어나 서울 살이 기간 도산서원의 벗(매화·국화·연꽃)이 시들어 쓸쓸해하는 모습을 보고, 자신의 마음도 서늘해짐을 표현하고 있다. 첫째 구절에서 선생은 도산서원의 벗이 쓸쓸하다고 한다. 이는 도산서원의 벗이 세상을 떠나고, 그 자리가 텅 비어있음을 나타내고 있다. 둘째 구절에서 선생은 자신의 마음도 서늘해짐을 표현한다. 이는 도산서원의 벗의 시들어 감이 선생에게 큰 슬픔과 상실감을 주었음을 나타내고 있다.

하지만 선생은 도산서원으로 돌아오겠다는 다짐을 벗과의 만남을 통해 세상의 참된 의미를 깨달았음을 나타내고 있다. 셋째 구절에서 선생은 도산서원의 벗과 함께 마주 앉아 생각할 때, 옥설의 맑음과 참됨을 고이 간직하겠다고 다짐한다. 이는 화자가 도산서원의 벗과의 만남을 통해 얻은 깨달음을 소중히 간직하겠다는 마음을 표현한 것으로 볼 수 있다.

이 시는 도산서원의 벗의 시들어 감을 통해 세상의 참된 의미를 깨닫고, 세상에 다시 나아가겠다는 화자의 다짐을 표현한 시입니다. 도산서원의 벗과 함께 마주 앉아 생각할 때, 선생은 옥설의 맑음과 참됨을 느끼게 된다. 이는 세상의 어지러움 속에서도 맑고 참된 삶을 살아가는 것이 중요하다는 것을 의미하는 것으로 볼 수 있다.

밤의 매화

산창에 홀로 기대 차가운 밤빛에
매화 가지 끝에 둥근달이 떠오르네
이제 바람은 불어오지 않아도
맑은 향기가 온 동산에 가득하네

獨倚山窓夜色寒　독의산창 야색한
梅梢月上正團團　매초월상 정단단
不須更喚微風至　불수경환 미풍지
自有淸香滿院間　자유청향 만원간

해설

퇴계 선생의 '밤의 매화'는 차가운 밤빛에 매화 가지 끝에 둥근 달이 떠오르는 모습을 담고 있다. 그러나 이 시는 그 이상의 의미를 담고 있다. 시인은 산창에 홀로 기댄 자신의 삶을 매화와 달에 비유하며, 바람은 불어오지 않지만 맑은 향기가 온 동산에 가득하다고 말한다. 이는 자신의 삶에 있어 어둠과 외로움이 있어도 그 안에서도 아름다움과 소소한 행복을 찾아낼 수 있다는 것을 암시한다. 이 시는 자연의 아름다움과 인간의 삶의 아름다움을 함께 담아, 독서자에게 깊은 생각을 불러일으키는 시다.(陶山月夜。詠梅。六首。)

매화꽃의 여유

뜨락을 거닐자 달이 따라오네
매화 곁에서 몇 바퀴나 돌았던가
밤이 깊도록 일어날 줄 모르니
향기가 옷에 배고 그림자가 몸에 배네

步屧中庭月趁人　보섭중정 월진인
梅邊行遶幾回巡　매변행요 기회순
夜深坐久渾忘起　야심좌구 혼망기
香滿衣巾影滿身　향만의건 영만신

해설

자연과 사람의 조화로움을 느끼게 해주는 시다. 시인은 매화꽃이
피어 있는 곳에서 뜨락을 거닐며 밤하늘의 달을 바라보고 있다. 그
리고 매화꽃 곁에서 돌아다니며 즐거움을 느낀다. 이 시는 자연과
함께하는 산책의 즐거움을 묘사하고 있으며, 시인의 내면을 표현하
고 있다. 특히 '밤이 깊도록 일어날 줄 모르니'라는 구절은 시인이
매화꽃과 함께하며 시간을 잊을 정도로 행복했다는 것을 보여준다.
이 시는 자연과 함께하는 삶의 소중함을 느끼게 해주는 아름다운
시다.(陶山月夜。詠梅。六首。)

매화꽃의 가르침

늦게 피는 매화꽃의 참뜻을 알겠네
아마 내가 추운 때를 겁내는 줄 알았구나
아름다워라 이 밤이 내 병을 낫게 한다면
이 밤이 다하도록 달을 대할 수 있으리라

晚發梅兄更識眞　만발매형 갱식진
故應知我怯寒辰　고응지아 겁한진
可憐此夜宜蘇病　가련차야 의소병
能作終宵對月人　능작종소 대월인

해설

늘게 피는 매화꽃을 통해 인생의 진리를 깨달은 깨달음을 표현한 시이다.(陶山月夜。詠梅。六首。)

첫째 연에서 선생은 늦게 피는 매화꽃의 참뜻을 깨닫는다. 매화꽃은 추운 겨울을 견뎌내고 봄이 오면 가장 먼저 피는 꽃이다. 선생은 매화꽃이 추운 겨울을 두려워하지 않고 꿋꿋이 버텨낸 모습을 보며, 자신이 추운 시절을 두려워하고 피하고 있었음을 깨닫는다.

둘째 연에서 선생은 이 밤이 자신의 병을 낫게 한다면, 이 밤이 다하도록 달을 대할 수 있을 것이라고 말한다. 밤은 어둠과 고독의 상징이다. 선생은 이 밤이 자신의 병을 낫게 하여 어둠과 고독을 극복할 수 있게 해준다면, 이 밤이 다하도록 달을 대할 수 있을 정도로 기쁘고 행복할 것이라고 말한다.

이 시는 퇴계 선생의 인생에 대한 깊은 통찰을 보여준다. 선생은 매화꽃을 통해 추운 겨울을 두려워하지 않고 꿋꿋이 버텨내는 인내와 의지를 배웠다. 그리고 이 밤이 자신의 병을 낫게 해준다면, 어둠과 고독을 극복하고 더 밝은 미래를 맞이할 수 있을 것이라고 희망했다.

매화나무의 아름다움

구슬 가지에 눈이 비쳐
차가운 겨울도 두렵지 않네
달을 다시 마주하고
자세히 바라보니

어쩌면 여기서
달을 영원히 잡아두고
매화는 지지 않고
눈은 녹지 않게 할 수 있을까

雪映瓊枝不怕寒　설영경지 불파한
更邀桂魄十分看　경요계백 십분간
箇中安得長留月　개중안득 장류월
梅不飄零雪未殘　매불표령 설미잔

해설

이 시(彦遇雪中賞梅。更約月明韻)는 매화나무의 아름다움과 겨울의 소중함을 노래한 시이다.

첫째 연에서 화자는 매화나무의 구슬 같은 가지에 눈이 비치는 모습을 보며, 추운 겨울도 두렵지 않은 매화나무의 강인함을 느낀다.

둘째 연에서 화자는 매화나무와 달의 조화를 바라보며, 이 순간을 영원히 간직하고 싶은 소망을 품는다.

이 시는 매화나무의 아름다움을 통해 겨울의 소중함을 일깨워준다. 겨울은 추운 계절이지만, 매화나무처럼 강인한 생명력을 가진 생명체들이 살아가는 계절이기도 하다. 화자는 매화나무와 달의 조화를 통해 겨울의 아름다움과 소중함을 느끼고, 이 순간을 영원히 간직하고 싶은 소망을 품는다.

이 시는 겨울을 맞이하는 우리에게 위로와 희망을 준다. 겨울은 어려운 계절이지만, 매화나무처럼 강인한 생명력을 가진 생명체들이 살아가는 계절이기도 하다. 이 시를 통해 우리는 겨울의 아름다움과 소중함을 느끼고, 겨울을 이겨낼 힘을 얻을 수 있을 것이다.

봄을 찾아서

산북에서 봄을 찾아왔더니
산꽃들이 눈부시네
대떨기를 헤쳐 보니
초췌한 모습에 놀랐네
매화나무는 더위를 잡아
늦게 피었네 한탄하네

성긴 꽃송이는 바람에
뒤엎여 까불네
힘껏 지킨 절개도
모진 비에 꺾였네
작년의 친구들은
소식도 끊겼네

맑은 시름 여전하여
억제하기 어렵구나

朝從山北訪春來 　조종산북 방춘래
入眼山花爛錦堆 　입안산화 난금퇴
試發竹叢驚獨悴 　시발죽총 경독췌
旋攀梅樹歎遲開 　선반매수 탄지개

疎英更被風顚簸 　소영경피 풍전파
苦節重遭雨惡摧 　고절중조 우오최
去歲同人今又阻 　거세동인 금우조
淸愁依舊浩難裁 　청수의구 호난재

해설

이 시(以見感歎之意。時鄭眞寶亦有約)는 봄을 찾아 산으로 갔다가, 봄의 아름다움과 아픔을 함께 느낀 화자의 감정을 표현한 시이다.

첫째 연에서 화자는 산북에서 봄을 찾아왔더니, 산꽃들이 눈부시게 피어 있음을 본다. 하지만 대떨기를 헤쳐 보니, 초췌한 모습의 대나무가 눈에 들어온다. 화자는 대나무의 초췌한 모습에 놀라며, 봄의 기쁨과 함께 봄의 아픔을 느낀다.

둘째 연에서 화자는 매화나무가 더위를 잡아 늦게 피었다는 것을 보고 한탄한다. 매화나무는 봄을 가장 먼저 알리는 꽃이지만, 늦게 피었다는 것은 봄이 너무 늦게 찾아왔다는 것을 의미한다.

셋째 연에서 화자는 바람에 뒤엎어 까불는 꽃송이를 보고, 힘껏 지킨 절개도 모진 비에 꺾였다고 한탄한다. 꽃송이는 봄의 아름다움을 상징한다. 하지만 바람에 뒤엎어 까불는 꽃송이는 봄의 아름다움이 쉽게 무너질 수 있음을 의미한다. 화자는 봄의 아름다움이 쉽게 무너지는 것에 안타까워한다.

넷째 연에서 화자는 작년의 친구들이 소식도 끊겼다고 말한다. 작년의 친구들은 봄의 아름다움과 함께 화자에게 위안과 희망을 주었다. 하지만 작년의 친구들이 소식도 끊겼다는 것은 화자가 봄의 아름다움과 희망을 잃어가고 있음을 의미한다. 화자는 봄의 아름다움과 희망을 잃어가는 것에 슬픔을 느낀다.

마지막 연에서 화자는 맑은 시름이 여전하여 억제하기 어렵다고 말한다. 맑은 시름은 봄의 아름다움과 아픔을 함께 느끼는 화자의 마음이다. 화자는 봄의 아름다움과 아픔을 함께 느끼는 맑은 시름을 억제하기 어렵다.

이 시는 봄의 아름다움과 아픔을 함께 느끼는 화자의 감정을 생생하게 표현한 시이다. 특히, 봄의 아름다움과 아픔을 함께 느끼는 화자의 맑은 시름을 표현한 마지막 연은 인상적이다. 이 시는 우리에게 봄의 아름다움과 아픔을 함께 느끼는 삶의 의미를 생각하게 해 준다.

봄날의 끝자락

교남의 촌락에 푸른 봄이 지려하니
복사꽃과 오얏꽃이 사람의 마음을 빼앗네
천지가 화창할 때 외로운 나무가 서 있으니
하얀 꽃 한 송이가 뭇꽃의 어둠을 씻네

青春欲暮嶠南村　청춘욕모 교남촌
處處桃李迷人魂　처처도리 미인혼
眼明天地立孤樹　안명천지 입고수
一白可洗群芳昏　일백가세 군방혼

풍류는 겨울눈을 아랑곳하지 않고
운치는 더욱이 봄 동산이 제일이라
그 옛날 도산에는 몇 신선이 관상(觀賞)했나
스무 해 만에 다시 보니 기쁜 빛이 따사롭네

風流不管臘雪天　풍류불관　납설천
格韻更絶韶華園　격운갱절　소화원
道山疇昔幾仙賞　도산주석　기선상
廿載重逢欣色溫　입재중봉　흔색온

바람은 완연해라 서호(西湖)의 짝이로다
달빛을 대했더니 어느새 해가 뜨네
내게 묻되 어이하여 이리 몹시 여위어서
운암 문을 닫아걸고 흰머리로 길이 숨나

臨風宛若西湖伴　임풍완약　서호반
對月不覺東方暾　대월불각　동방돈
問我緣何太瘦生　문아연하　태수생
白首長屛雲巖門　백수장병　운암문

옛날부터 스스로 연하고질11) 있었으니
이제 와서 난초 향기 말을 하여 무엇하리
하늘 끝에 옛 친구들 만나 볼 수 없나니
너와 함께 매일같이 하염없이 술 마시리

向來自有烟霞疾　향래자유 연하질
今者何須蘭臭言　금자하수 난취언
天涯故人不可見　천애고인 불가견
與爾日飮無何罇　여이일음 무하준

해설

이 시(節友壇梅花)는 교남의 촌락에서 봄을 맞이하는 화자의 감정
을 표현한 시이다.

첫째 연에서 화자는 푸른 봄이 지려하고, 복사꽃과 오얏꽃이 사람
의 마음을 빼앗는 모습을 본다. 화자는 봄의 아름다움에 감탄하지

---

11) 연하고질(煙霞痼疾) : 당나라 처사(處士) 전유암(田游巖)이 고종(高宗)
    에게 말하기를, "신은 연무(煙霧)와 노을에 고질병이 들었습니다." 하였는
    데, 고질병 환자처럼 산수(山水)에 중독되었다는 말이다.《舊唐書 卷192
    田游巖列傳》

만, 곧 봄이 지려감을 느끼며 쓸쓸한 마음을 감추지 못한다. 둘째 연에서 화자는 풍류와 운치가 더욱이 봄 동산이 제일이라고 말한다. 화자는 봄의 아름다운 풍경을 통해 풍류와 운치를 느끼며, 그 옛날 도산에서 신선들이 관상했을 법한 풍경을 떠올린다. 세째 연에서 화자는 서호의 바람과 달빛을 감상하며, 옛 친구들이 그리워진다. 화자는 봄의 아름다운 풍경을 통해 옛 친구들과 함께했던 즐거운 시간을 회상하고, 다시 그들과 함께하고 싶은 마음을 표현한다. 네째 연에서 화자는 스스로 연하고질 있었으니, 이제 와서 난초 향기 말을 하여 무엇하리라고 말한다. 화자는 젊은 시절부터 세상의 풍파에 흔들리지 않고 자신의 길을 걸어온 것을 자부하며, 이제는 세상의 욕심과 명예를 좇는 것에 무의미함을 느낀다.

다섯째 연에서 화자는 옛 친구들이 하늘 끝에 있어 만나볼 수 없으니, 너와 함께 매일같이 하염없이 술을 마시리라고 말한다. 화자는 옛 친구들과의 만남을 꿈꾸며, 세상의 덧없음을 깨닫고, 친구와 함께 술을 마시며 여생을 보내고자 하는 마음을 표현한다.

이 시는 봄의 아름다움과 덧없음을 통해 인생의 의미를 생각하게 하는 시이다. 특히, 젊은 시절부터 자신의 길을 걸어온 화자의 굳은 신념과, 세상의 욕심과 명예를 좇는 것에 무의미함을 느끼는 화자의 깨달음은 인상적이다. 이 시는 우리에게 인생의 진정한 의미를 생각하게 해주는 작품이다.

한양의 동산

한양의 셋집 동산에
울긋불긋 꽃들이 피어나네
살구나무가 집보다 높아
봄 늦게 피어 목련을 대신하네

서울은 땅이 차서
물상과 기후가 중국과 달라
꽃내음이 짙고
잎마다 조화옹의 솜씨가 느껴지네

병으로 석 달 동안
문밖을 나가지 못하고
막대 짚고 동산을 거닐었네
늙은이의 눈에도 꽃은 아름답지만
젊은이들과 함께하기는 어려워

술잔 앞에 앉아 혼자 읊는 것도
단풍을 슬퍼하던 초객12)보다 낫네

---

12) 초객은 굴원(屈原)으로, 그가 지은 《초사(楚辭)》에, 강가의 단풍을 읊은
    것이 많다.

내일 아침 벗들과 약속을 했지만
비바람에 사미(四美)13)가 방해되네
세상 일은 뜻대로 되지 않네
해는 서로 날고 강은 동으로 흐르네
꽃을 보고 웃자
꽃이 내게 말한다.
'당신은 농부가 되어야 할 사람이군요.'

漢陽賃屋園院空	한양임옥 원원공
年年雜樹開繁紅	연년잡수 개번홍
牆頭小杏高出屋	장두소행 고출옥
春晚始替辛夷風	춘만시체 신이풍

乃知王城地多寒	내지왕성 지다한
物候不與中州同	물후불여 중주동
攢枝日夢香郁烈	찬지일악 향욱열
一一刻蔚含元功	일일각전 함원공

---

13) 사미(四美) : 양신(良辰)·미경(美景)·상심(賞心)·낙사(樂事)를 말한
다.

我病三春不出門	아병삼춘 불출문
杖屨時及閒園中	장구시급 한원중
老眼猶知惜芳華	노안유지 석방화
樂事難憑年少叢	낙사난빙 연소총

罇前莫厭寂寥詠	준전막염 적요영
猶勝楚客悲吟楓	유승초객 비음풍
明朝已約數同袍	명조이약 수동포
風雨飜令四美窮	풍우번령 사미궁

世間萬事苦難諧	세산만사 고난해
西飛白日江流東	서비백일 강류동
對花一笑花有語	대화일소 화유어
嗟爾合作耕田翁	차이합작 경전옹

해설

이 시(杏花。效王梅溪次韓昌黎韻)는 한양의 셋집 동산에서 꽃을 감상하는 화자의 모습을 표현한 시이다.

첫째 연에서 화자는 한양의 셋집 동산에 울긋불긋 꽃들이 피어나는 모습을 본다. 화자는 꽃의 아름다움에 감탄하며, 살구나무가 집보다 높아 봄 늦게 피어 목련을 대신한다는 것을 알게 된다. 둘째 연에서 화자는 서울은 땅이 차서 물상과 기후가 중국과 달라 꽃내음이 짙고, 잎마다 조화옹의 솜씨가 느껴진다고 말한다. 화자는 서울의 꽃들이 중국의 꽃들과는 다른 아름다움을 가지고 있음을 느낀다. 셋째 연에서 화자는 병으로 석 달 동안 문밖을 나가지 못하고, 막대 짚고 동산을 거닌다. 화자는 늙은이의 눈에도 꽃은 아름답지만, 젊은이들과 함께하기는 어렵다고 말한다. 넷째 연에서 화자는 술잔 앞에 앉아 혼자 읊는 것도 단풍을 슬퍼하던 초객보다 낫다고 말한다. 화자는 벗들과의 약속이 비바람으로 방해받자, 세상 일이 뜻대로 되지 않는다고 말한다. 다섯째 연에서 화자는 해는 서로 날고 강은 동으로 흐른다고 말한다. 화자는 세상의 무상함을 느끼며, 꽃을 보고 웃자 꽃이 자신에게 농부가 되어야 할 사람이라고 말한다고 말한다.

이 시는 꽃을 통해 삶의 아름다움과 무상함을 생각하게 하는 시이다. 특히, 늙은이의 눈에도 꽃은 아름답지만, 젊은이들과 함께하기는 어렵다는 화자의 말은 인상적이다. 이 말은 젊은이들과 노인들이 서로 다른 시각으로 세상을 바라보고 있음을 보여준다. 또한, 세상 일이 뜻대로 되지 않는다는 화자의 말은 삶의 무상함을 느끼게 한다.

자연의 변화

어제는 구름이 땅 위에 드리우더니
오늘 아침 비내려 진흙을 적시었네
수풀을 틔워내어 들사슴 다니게 하고
버들가지 엮어서 뒤뜰의 닭을 막네

昨日雲垂地　작일 운수지
今朝雨浥泥　금조 우읍니
開林行野鹿　개림 행야록
編柳卻園雞　편류 각원계

해설

이 시(春日閒居。次老杜六絶句)는 하루 동안의 자연의 변화를 통해 자연의 소중함을 일깨우는 시이다.

첫째 연에서 화자는 어제는 구름이 땅 위에 드리웠다고 말한다. 구름은 비를 내릴 것을 예고하는 자연 현상이다. 둘째 연에서 화자는 오늘 아침 비가 내려 진흙을 적셨다고 말한다. 비는 식물과 동물에게 생명을 주는 자연 현상이다.

셋째 연에서 화자는 비로 인해 수풀이 틔워져 들사슴이 다니게 되었다고 말한다. 들사슴은 자연의 소중한 자원이다. 넷째 연에서 화자는 비로 인해 버들가지가 얽혀져 뒤뜰의 닭을 막게 되었다고 말한다. 닭은 인간에게 식량을 제공하는 자연의 자원이다.

이 시는 하루 동안의 자연의 변화를 통해 자연이 우리에게 주는 소중한 것들을 일깨워준다. 비는 식물과 동물에게 생명을 주고, 들사슴과 닭은 인간에게 식량과 즐거움을 제공한다. 자연은 우리에게 많은 것을 주고 있지만, 우리는 자연을 소중히 여기지 않고 오염시키고 있다. 이 시는 우리에게 자연을 소중히 여기고 보호해야 함을 일깨우는 작품이다.

기약 없는 사람

산꽃이 어지러이 피어도 상관없네
길가의 풀마저도 오히려 어여쁜 걸
그 사람 기약두고 이르지 아니하니
이 옥빛 술동이를 어찌하면 좋을꼬

不禁山花亂　불금 산화란
還憐徑草多　환련 경초다
可人期不至　가인 기부지
奈此綠樽何　내차 록준하

해설

이 시(春日閒居。次老杜六絶句)는 기약 없이 떠난 사람을 기다리는 화자의 모습을 표현한 시이다.

첫째 연에서 화자는 산꽃이 어지러이 피어도 상관없다고 말한다. 화자는 기약 없이 떠난 사람을 기다리는 마음에 산꽃의 아름다움조차 느끼지 못한다.

둘째 연에서 화자는 길가의 풀마저도 오히려 어여쁜 걸이라고 말한다. 화자는 기약 없이 떠난 사람의 모습이 길가의 풀처럼 보이기 때문에, 풀마저도 어여쁘게 보인다.

셋째 연에서 화자는 그 사람이 기약두고 이르지 아니하니, 이 옥빛 술동이를 어찌하면 좋을꼬라고 말한다. 화자는 기약 없이 떠난 사람을 기다리며 술을 마시지만, 그 사람의 소식은 없기 때문에 술동이를 어찌할지 모르겠다고 말한다.

이 시는 기약 없이 떠난 사람을 기다리는 화자의 쓸쓸한 마음을 잘 표현한 시이다. 특히, 산꽃과 길가의 풀을 통해 화자의 쓸쓸한 마음을 더욱 효과적으로 표현한 점이 인상적이다. 이 시는 우리에게 기약 없이 떠난 사람을 기다리는 사람들의 마음을 생각하게 하는 작품이다.

물소리

물소리는 골짜기 어구를 삼키는데
구름 기운 산 허리를 감싸고 도는구나
조는 학(鶴)은 모래톱에 가만히 서 있는데
놀란 듯 다람쥐는 나무 위로 오르네

水聲含洞口　수성 함동구
雲氣帶山腰　운기 대산요
睡鶴沙中立　수학 사중립
驚鼯樹上跳　경오 수상도

해설

이 시(春日閒居。次老杜六絶句)는 물소리와 자연의 모습을 통해 자연의 아름다움과 생명력을 노래한 시이다.

첫째 연에서 화자는 물소리가 골짜기 어구를 삼키는 모습을 본다. 물소리는 자연의 힘과 생명력을 상징한다. 화자는 물소리의 힘찬 소리에 감탄한다.

둘째 연에서 화자는 구름 기운이 산 허리를 감싸고 도는 모습을 본다. 구름 기운은 자연의 변화와 생동감을 상징한다. 화자는 구름 기운의 아름다움에 감탄한다.

셋째 연에서 화자는 조는 학이 모래톱에 가만히 서 있는 모습을 본다. 조는는 자연의 평화와 안정감을 상징한다. 화자는 조의 평화로운 모습에 감탄한다.

넷째 연에서 화자는 놀란 듯 다람쥐가 나무 위로 오르는 모습을 본다. 다람쥐는 자연의 민첩함과 활력을 상징한다. 화자는 다람쥐의 활기찬 모습에 감탄한다.

이 시는 물소리와 자연의 모습을 통해 자연의 아름다움과 생명력을 잘 표현한 시이다. 특히, 물소리를 통해 자연의 힘과 생명력을, 구름 기운을 통해 자연의 변화와 생동감을, 조와 다람쥐를 통해 자연의 평화와 안정감, 민첩함과 활력을 표현한 점이 인상적이다. 이 시는 우리에게 자연의 아름다움과 생명력을 생각하게 하는 작품이다.

새로운 마을

산속의 밭일망정 콩과 조가 잘 자라고
약초 심은 밭에는 싹과 뿌리 무성해라
북쪽의 징검다리 남쪽으로 통해 있고
새로 이룬 촌락은 옛 마을과 닿았구나

山田宜菽粟　산전 의숙속
藥圃富苗根　약포 부묘근
北彴通南彴　북박 통남박
新村接舊村　신촌 접구촌

해설

이 시(春日閒居。次老杜六絶句)는 먼저 산속의 밭에도 콩과 조가 잘 자라고 있다는 점을 언급한다. 이는 새로운 마을이 비옥한 땅에 자리 잡고 있음을 의미한다. 또한, 약초 심은 밭에는 싹과 뿌리가 무성하다는 점을 언급한다. 이는 새로운 마을이 건강한 삶을 추구하고 있음을 의미한다.

다음으로, 시인은 북쪽의 징검다리가 남쪽으로 통해 있다고 말한다. 이는 새로운 마을이 옛 마을과 연결되어 있음을 의미한다. 또한, 새로 이룬 촌락이 옛 마을과 닿았다고 말한다. 이는 새로운 마을이 옛 마을의 전통을 이어가고 있음을 의미한다.

이 시에서 시인은 새로운 마을의 풍경과 사람들의 삶을 통해 희망찬 미래를 노래하고 있다. 새로운 마을은 비옥한 땅에 자리 잡고 있으며, 건강한 삶을 추구하고 있다. 또한, 새로운 마을은 옛 마을과 연결되어 있으며, 옛 마을의 전통을 이어가고 있다. 이러한 새로운 마을의 모습은 우리에게 희망과 용기를 준다.

나무꾼의 집

나무꾼은 한가로이 골짝에서 나오고
어린 새들 다투어 처마 끝에 깃들인다
조그만 집 마련하니 하윤(何胤)과 같거니와[14]
높이 솟은 누대는 송섬(宋纖)과는 다르구나[15]

樵人閒出谷　초인 한출곡

乳雀競棲簷　유작 경서첨

小閣同何胤　소각 동하윤

高臺異宋纖　고대 이송섬

---

14) 양(梁)나라 처사(處士) 하윤(何胤)이 진망산(秦望山)에서 서당(書堂)을
지어 여러 제자를 가르치면서, 그 옆에 따로 작은 각(閣)을 바위 속에 만
들고 거기서 거처하면서 자신이 손수 열었다 잠갔다 하며, 하인도 가까이
오지 못하게 하였다 한다.
15) 송섬(宋纖) : 진(晉)나라 처사인 송섬은 주천(酒泉) 남산(南山)에 숨어
살았는데, 태수 마급(馬岌)이 찾아갔으나 높은 누대에서 문을 잠그고 만나
주지 않았다 한다.

해설

시인은 먼저 한가로이 골짝에서 나오는 나무꾼의 모습을 보여준다. 이는 나무꾼이 자연 속에서의 삶에 만족하고 있음을 의미한다. 또한, 어린 새들이 다투어 처마 끝에 깃드는 모습을 보여준다. 이는 나무꾼의 집이 새들에게도 안식처가 되고 있음을 의미한다.

다음으로, 시인은 조그만 집을 마련한 나무꾼의 삶을 하윤과 같다고 말한다. 이는 나무꾼이 소박하고 소탈한 삶을 살고 있음을 의미한다. 또한, 높이 솟은 누대가 송섬과는 다르다고 말한다. 이는 나무꾼이 세상의 부귀영화를 좇지 않고, 자연 속에서 소박하고 행복한 삶을 살고 있음을 의미한다.

이 시(高臺異宋纖)에서 시인은 나무꾼의 집을 통해 소박하고 소탈한 삶의 아름다움을 노래하고 있다. 나무꾼의 집은 화려하지는 않지만, 자연과 어우러져 있고, 새들에게도 안식처가 되고 있다. 이러한 나무꾼의 집은 우리에게 소박하고 소탈한 삶의 가치를 일깨워준다.

자연의 아름다움

푸르게 물든 것은 천 가지 버들이요
빨갛게 타는 것은 만 송이 꽃이러라
웅장하고 호방한 건 산꿩의 천성이요
사치에 화려한 건 들사람의 집이라네

綠染千條柳　녹염 천조류
紅燃萬朶花　홍연 만타화
雄豪山雉性　웅호 산치성
奢麗野人家　사려 야인가

해설

시인은 먼저 푸른 버들과 붉은 꽃을 통해 자연의 아름다움을 표현한다. 푸른 버들은 봄의 생명력을, 붉은 꽃은 여름의 화려함을 상징한다. 또한, '천 가지'와 '만 송이'라는 표현을 통해 자연의 풍요로움을 강조한다.

다음으로, 시인은 산꿩의 천성을 통해 자연의 아름다움을 표현한다. 산꿩은 당당하고 자유로운 기상을 지닌 동물이다. 또한, '웅장하고 호방한'이라는 표현을 통해 산꿩의 당당한 기상을 말한다.

마지막으로, 시인은 들사람의 집을 통해 자연의 아름다움을 표현한다. 들사람의 집은 소박하지만, 자연과 어우러져 있다. 또한, '사치하고 화려한'이라는 표현을 통해 들사람의 집의 소박함과 자연과의 조화를 강조한다.

이 시(春日閒居。次老杜六絶句)는 자연의 아름다움을 찬양하는 동시에, 자연과 인간의 조화를 생각하게 하는 작품이다. 자연은 인간에게 아름다움을 선사하지만, 인간은 자연을 소중히 여기고 보호해야 한다.

술과 삶

술이 없으면 기쁨은 없다네
술이 있으면 바로 마시네
한가해야 즐거움을 얻네
즐거운 일이 있으면 바로 즐겨야지

훈훈한 바람이 만물을 일깨우니
무성한 아름다움이 가득하네
만물과 나 함께 즐거워하네
가난과 병은 걱정할 것 아니네

저 세상의 영화로움은 알겠네
하지만 헛된 이름 오래가진 못하네

無酒苦無悰　무조 고무종
有酒斯飮之　유주 사음지
得閒方得樂　득한 방득락
爲樂當及時　위락 당급시

薫風鼓萬物　훈풍 고만물

亨嘉今若茲　형가 금약자

物與我同樂　물여 아동락

貧病復何疑　빈병 부하의

豈不知彼榮　기부 지피영

虛名難久持　허명 난구지

해설

퇴계 선생의 시(和陶集飮酒) ´술이 없으면 기쁨은 없다네´는 술이
없으면 기쁨도 없다는 사실을 단정적으로 말하고 있으니, 술이 있
으면 즉시 마시고, 한가할 때에야 즐거움을 얻을 수 있다고 말하
며, 즐거운 일이 생기면 즉시 즐겨야 한다는 것을 강조하고 있다.
훈훈한 바람은 만물을 일깨우고, 아름다움이 가득하며, 만물과 함
께 즐거워해야 한다는 것을 알 수 있는데, 가난과 병은 걱정할 필
요가 없다고 말하며, 저 세상의 영화로움은 잠시 동안만 유지될 뿐
헛된 이름은 오래 가지 못한다는 것을 시적으로 전달하고 있다.

퇴계 선생의 시는 술과 즐거움, 아름다움과 허망한 이름 등을 통해
우리에게 생각할 거리를 제공하며, 이 시를 통해 삶의 진정한 가치
와 순간적인 즐거움의 차이를 깨닫게 한다.

생각의 끝

나의 생각 닿는 곳, 그 자리는 어디일까
하늘 끝과 대지 끝, 그 한 모퉁이
높고도 높아라, 세상 소리 멀어지고
넓고도 넓어라, 길은 마냥 이어지네

사람의 인생살이, 아침 이슬 같은데
희로애락은 한순간도 쉬지 않고 몰아대네
손에 쥔 녹기금16)은, 줄 끊어져 슬픔만 남아
오직 하나, 잔 속에 채워진 이 술만이
외로운 내 삶을 때때로 위로하네

---

16) 녹기금(綠綺琴) : 한나라 사마상여(司馬相如)가 양왕(梁王)으로부터 하
사받은 거문고이다.

所思在何許　소사 재하허

天涯與地隅　천애 여지우

迢迢隔塵響　초초 격진향

浩浩綿川塗　호호 면천도

人生如朝露　인생 여조로

羲馭不停驅　17)희어 부정구

手中綠綺琴　수중 녹기금

絃絶悲有餘　현절 비유여

獨有杯中物　독유 배중물

時時慰索居　시시 위색거

---

17) 희어(羲馭) : 요(堯) 임금 때에 희(羲)와 화(和)는 해[日]를 맡은 관직이
므로, 여기서는 해를 희어(羲馭)라 하였다.

도(道)를 아는 자의 고뇌

순 임금도 주 문왕도 이제는 없네
조양에 봉새는 오지 않고
기린은 이미 떠났네
세상은 어둠 속에 취한 듯

낙양과 민중 땅18)을 바라보니
현인들이 비늘처럼 일어났네
나는 왜 이 시대에 태어났나
혼자서 도를 닦을 길을 모르겠네

아침에 도를 알면 저녁에 죽어도 좋다는 말
그 진실한 뜻을 어찌 알리

---

18) 낙양(洛陽)과 민중(閩中) : 낙양은 정자(程子), 민중은 주자(朱子)가 살
던 곳이다.

舜文久徂世　순문 구조세
朝陽鳳不至　조양 봉부지
祥麟又已遠　상린 우이원
叔季如昏醉　숙계 여혼취

仰止洛與閩　앙지 낙여민
群賢起鱗次　군현 기린차
吾生晚且僻　오생 만차벽
獨昧修良貴　독매 수양귀

朝聞夕死可　조문 석사가
此言誠有味　차언 성유미

해설

퇴계 선생의 시(和陶集飲酒) ´순 임금도 주 문왕도 이제는 없네´는 과거의 위인들이 이미 사라져버렸다는 사실을 단정적으로 말하고 있다. 조양에 봉새도 오지 않고, 기린도 이미 떠났다는 것을 언급하며, 세상은 어둠에 취한 것처럼 보인다 했다.

낙양과 민중의 땅을 바라보면 현인들이 비늘처럼 일어났다는 것을 알 수 있지만, 나는 왜 이 시대에 태어났는지, 혼자서 도(도를 가르치고 길을 제시하는 지혜)를 닦을 방법을 모르겠다고 말한다.

아침에 도를 알면 저녁에 죽어도 좋다는 말이 있지만, 그 진실한 의미를 어떻게 알릴 수 있을까? 이 시는 퇴계 선생의 깊은 고뇌와 의문을 담고 있으며, 현대인들에게도 공감을 불러일으키는 시이다.

술의 묘미

술 가운데 묘한 이치가 있다고들 하지만
사람마다 다 얻지는 못한다네
취하여 고함치며 즐거움을 구하는 건
그대들의 생각이 잘못된 것 아닌가

잠시 잠깐 거나하게 취기가 올라오면
하늘과 땅 사이에 호연지기가 가득차서
온갖 번뇌를 풀어주고 인색한 마음을 녹여내니
괴안국(槐安國)의 영화[19]보다 훨씬 더 나으리라

필경 이런 경지를 기다려야 할 것이니
바람 앞에 도리어 부끄러워 침묵하네[20]

---

19) 괴안국(槐安國)의 영화 : 당나라 순우분(淳于棼)이 꿈에 대안국에 가서
   남가 태수(南柯太守)가 되어 부귀를 누리다가 깨어 보니 괴목(槐木) 밑에
   큰 개미굴이 있었다는 고사가 있다. 《異聞集》
20) 《장자(莊子)》에 이르기를, "열자(列子)가 바람을 타고 공중에 다니다가
   보름 만에 돌아왔다. 그러나 이것은 바람을 기다려야 되는 것이다. 천지
   (天地)의 정기(正氣)를 타고 무궁(無窮)에 노는 성인(聖人)은 무엇을 기
   다림이 없이 소요(逍遙)하고 논다." 하였다. 여기서는 성현(聖賢)은 술이
   없이도 도의(道義)의 호기(浩氣)가 가득하다는 뜻이다.

酒中有妙理　주중 유묘리
未必人人得　미필 인인득
取樂酣叫中　취락 감규중
無乃汝曹惑　무내 여조혹
當其乍醺醺　당기 사훈훈
浩氣兩間塞　호기 양간색
釋惱而破吝　석뇌 이파린
大勝榮槐國　대승 영괴국

畢竟是有待　필경 시유대
臨風還愧默　임풍 환괴묵

해설

이 시(和陶集飮酒)는 술의 묘한 이치를 노래한 시로 술은 단순히 취기를 불러일으키는 음료가 아니라, 사람의 마음을 열고 본성을 드러내는 도구가 될 수 있다는 것을 말한다. 그러나 이 깨달음은 모든 사람이 얻을 수 있는 것은 아니라서 취하여 고함치며 즐거움을 찾는 것은 그들의 생각이 잘못된 것이 아닐까라고 질문하고 있다.

잠시 술에 취하면 하늘과 땅 사이에 환상적인 경지가 찾아와서 모든 걱정거리를 잊고 인색한 마음도 녹일 수 있다. 그 경험은 영화 '괴안국'보다 훨씬 더 훌륭할 것이라고 말하고 있다.

우리는 누구나 이런 경지를 위해 기다려야 할 필요가 있으며, 바람 앞에서 오히려 부끄러워서 침묵해야 한다는 것을 암시하고 있다. 퇴계 선생의 시는 술을 통해 얻는 순간적인 쾌락과 깊은 생각을 담고 있으며, 독자들에게 사색을 유발하는 시입니다.

매화촌의 추억

옛날 남방의 매화촌에서
아지랑이 시혼을 녹였다.
땅끝에서 경국색을 찬탄하고,
역로에서[21] 어둔 세상을 슬퍼했다.

서울에 와서도 그리워서
밤마다 전원으로 날아갔다.
여기가 서호[22]일 줄 몰랐는데,
우연히 만나니 더욱 반갑다.

---

21) 역로(驛路) : 남조(南朝) 송(宋)의 육개(陸凱)가 강남의 매화 한 가지를
   꺾어 역사(驛使)를 통해 친구 범엽(范曄)에게 부치며 아울러 시를 지어
   전한 고사가 있다. 《太平御覽 卷970 荊州記》
22) 서호(西湖) : 송나라 임포(林逋)가 서호에 살면서 매화를 많이 심고 매
   화시를 지어서 이름이 났다.

늦봄에 고즈넉이 피어오른
옥빛 자태, 아름다운 꽃다운 마음.
학을 짝한 선비처럼[23]
산중에서 나오지 않고,
연(蓮)을 사양한 여인처럼[24]
항상 문을 닫고 있다.

늦게 피어 복사꽃을 누르게 한 하늘의 뜻,
그 묘한 의미는 시인들도 다 말하지 못한다.
그 아름다운 모습,
철석같은 의지로 막을 수 있겠는가?
병든 몸이 술병 들고 찾아가도 사양하지 말라.

我昔南遊訪梅村　아석남유 방매촌
風烟日日銷吟魂　풍연일일 소음혼
天涯獨對歎國艶　천애독대 탄국염
驛路折寄悲塵昏　역로절기 비진혼

---

23) 임포(林逋)가 처자도 없이 살면서 매화를 심고 학을 길러, 매화를 아내로
삼고 학을 자식으로 삼았다고 한다.
24) 한 성제(漢成帝)의 후궁(後宮) 반희(班姬)가, 임금이 한 수레[輦]에 타려
는 것을 사양하였다. 뒤에 버림을 당하여 장신궁(長信宮)에서 문을 닫고
적막한 생활을 하였다.

邇來京輦苦相憶	이래경련 고상억
清夢夜夜飛丘園	청몽야야 비구원
那知此境是西湖	나지차경 시서호
邂逅相看一笑溫	해후상간 일소온
芳心寂寞殿殘春	방심적막 전잔춘
玉貌婥約迎初暾	옥모작약 영초돈
伴鶴高人不出山	반학고인 불출산
辭輦貞姬常掩門	사연정희 상엄문
天敎晚發壓桃杏	천교만발 압도행
妙處不盡騷人言	묘처부진 소인언
媚嫵何妨鐵石腸	미무하방 철석장
莫辭病裏携罌罇	막사병리 휴앵준

해설

이 시(湖堂梅花。暮春始開。用東坡韻)는 늦봄에 피는 매화의 아름다움과 그에 대한 시인의 사랑을 노래한 시다. 옛날 매화촌에서 매화의 아름다운 자태와 맑은 향기에 취하며 시혼을 녹였고, 세상의 어두움을 슬퍼하기도 했다. 서울에 와서도 매화가 그리워 밤마다 전원으로 날아갔고, 우연히 서호에서 만난 매화를 더욱 반갑게 여겼다.

시인은 매화를 옥빛 자태와 아름다운 꽃다운 마음으로 표현하며, 학을 짝한 선비처럼 산중에서 나오지 않고, 연을 사양한 여인처럼 항상 문을 닫고 있다고 노래한다. 이러한 매화의 모습은 세상의 속세를 떠나 청정하고 고고한 기품을 지닌 존재로 표현된다.

시인은 매화의 늦게 피어 복사꽃을 누르게 한 하늘의 뜻을 시인들도 다 말하지 못할 묘한 의미로 표현하며, 그 아름다운 모습을 철석같은 의지로 막을 수 없다고 말한다. 병든 몸이 술병을 들고 찾아가도 사양하지 말라고 외치는 시인의 모습은 매화에 대한 깊은 애정을 보여준다.

이 시에서 시인은 매화를 통해 자신의 지조와 절개를 표현하고 있다. 세상의 어두움을 슬퍼하며 청정하고 고고한 기품을 지닌 매화처럼 살아가고자 하는 시인의 의지가 엿보인다. 또한, 병든 몸에도 불구하고 매화를 찾아가려는 시인의 모습은 삶의 희망과 의지를 표현한 것으로 해석할 수 있다.

눈 속에서 피는 매화

막고산 신선이25) 눈 내리는 마을에서
수련으로 변해 겨울 매화의 혼이 되었다.
바람 불고 눈에 씻겨 본 모습을 나타내니
천연의 옥빛 자태 어두운 세상을 초탈했다.

이소경26) 뭇 꽃 중에 높은 정조 들지 않고
고산의 동산에서27) 천년 뒤에 한 번 웃는다.
세상 사람 몰라보니 심제량과28) 같단 말가
나 홀로 기뻐하네 온백설자29) 만난 듯이.

---

25) 막고산(藐姑山)의 신선 : 막고야산(藐姑射山)에 선인(仙人)이 있는데, 살결이 빙설(氷雪)같이 희고 깨끗하며 아름다워서 처자(處子)와 같다 하였다.《莊子 逍遙遊》
26) 초(楚)나라 굴원(屈原)이 지은 《이소경》에 온갖 초목을 나열하여 썼으나, 매화는 거기에서 빠졌다
27) 고산(孤山) : 임포가 서호의 고산에 살았다.
28) 심제량(沈諸梁)이 공자가 어떤 분인지 모르고 자로(子路)에게 물었던 고사에서 나온 말이다.《論語 述而》
29) 공자가 온백설자(溫伯雪子)와 만나서, 서로 한마디 말도 없이 눈으로 보고 도(道)를 알았다 한다.《莊子 田子方》

정신 맑고 뼈가 차매 스스로 깨닫나니
지극한 도 거짓없이 노을 햇빛 먹는다.30)
어젯밤 꿈속에서 흰옷 입은 선인 만나
하얀 봉새 함께 타고 하늘문에 날아가서

섬궁에서 옥절구로 찧은 약을 달랬더니
직녀가 인도하여 항아에게 말하더라.
깨어나매 그 향기가 옷소매에 가득하여
달 아래서 가지 잡고 술병을 기울인다.

藐姑山人臘雪村　막고산인 납설촌
鍊形化作寒梅魂　연형화작 한매혼
風吹雪洗見本眞　풍취설세 견본진
玉色天然超世昏　옥색천연 초세혼

高情不入衆芳騷　고정불입 중방소
千載一笑孤山園　천재일소 고산원

---

30) 신선은 수련할 때에 노을을 먹고 일광(日光)을 마신다 한다.

世人不識嘆類沈　세인불식 탄류침
今我獨得欣逢溫　금아독득 흔봉온

神淸骨凜物自悟　신청골름 물자오
至道不假餐霞暾　지도불가 찬하돈
昨夜夢見縞衣仙　작야몽견 호의선
同跨白鳳飛天門　동과백봉 비천문

蟾宮要授玉杵藥　첨궁요수 옥저약
織女前導姮娥言　직녀전도 항아언
覺來異香滿懷袖　각래이향 만회수
月下攀條傾一罇　월하반조 경일준

해설

이 시(湖堂梅花。暮春始開。用東坡韻)는 막고산 신선의 이야기를 통해 겨울 매화의 아름다움과 절개를 노래한 시로, 매화를 막고산 신선의 혼이 수련으로 변해 탄생한 존재로 표현하며, 그 아름다운 자태와 고고한 기품을 찬탄한다.

시인은 먼저 매화를 막고산 신선의 혼이 수련으로 변해 탄생한 존재로 표현한다. 이는 매화가 속세를 초탈한 청정하고 고귀한 존재임을 상징한다. 또한, 매화가 눈 속에서 피어난다는 것은 세상의 어두운 현실 속에서도 꿋꿋이 살아가는 지조와 절개를 의미한다. 시인은 이어서 매화의 아름다운 자태와 고고한 기품을 찬탄한다. 매화를 천연의 옥빛 자태로 표현하며, 세상을 초탈한 존재임을 강조한다. 또한, 매화가 이소경과 심제량과 같은 존재임을 말하며, 세상의 부귀영화를 거부하고 고고하게 살아가는 선비의 모습을 형상화한다.

마지막으로 시인은 매화를 통해 자신의 내면을 투영한다. 시인은 매화처럼 정신이 맑고 뼈가 차며, 지극한 도를 거짓없이 추구하는 존재임을 표현한다. 또한, 매화처럼 세상의 어두운 현실 속에서도 꿋꿋이 살아가는 의지를 보인다.

이 시에서 시인은 매화를 통해 자신의 지조와 절개, 그리고 삶의 희망과 의지를 표현하고 있다. 매화라는 자연물을 통해 시인의 내면을 섬세하게 표현한 작품으로, 한국의 대표적인 서정시로 손꼽히고 있다.

산 너머의 봄

산 너머의 봄은 아직도
꽃망울을 품고 있다.
아직도 봄은 멀었다고
우리는 생각한다.

그러나 산 앞자락에는
노을처럼 찬란한 꽃들이 만개했다.
그 꽃들은 우리에게 말한다.
봄은 이미 여기 있노라고.

밤 창문 너머로
비바람이 몰아친다.
그 비바람이 무정하게
꽃들의 붉은빛을 앗아가지 않을까
우리는 두렵다.

그러나 꽃들은 흔들리지 않는다.
그들은 봄을 믿고 있다.
봄이 다시 찾아올 것을
그들은 굳게 믿고 있다.

山後春深不見花　산후춘심 불견화
山前誰道爛如霞　산전수도 난여하
夜窓風雨無情甚　야창풍우 무정심
直怕千紅減卻些　직파천홍 감각사

해설

이 시는 퇴계 선생의 夜吟(야음)을 현대적으로 풀이한 것으로, 미래에 대한 기대와 두려움을 동시에 표현하고 있다. 시의 첫 부분에서는 '산 너머의 봄'을 '미래'로, '산 앞자락의 꽃들'을 '현재'로 비유하고 있다. 미래는 아직도 꽃망울을 품고 있지만, 현재는 이미 노을처럼 찬란한 아름다움을 가지고 있다. 그러나 미래에 닥칠지 모를 비바람에 대한 두려움은 여전히 존재한다. 이러한 두려움은 시의 두 번째 부분에서 '밤 창문 너머로 몰아치는 비바람'으로 표현되고 있다. 비바람은 미래에 닥칠지 모를 어려움과 역경을 상징한다. 비바람이 무정하게 꽃들의 붉은빛을 앗아가지 않을까 두려워한다.

그러나 마지막 부분에서 꽃들은 흔들리지 않는다. 그들은 봄을 믿고 있으며, 봄이 다시 찾아올 것을 굳게 믿고 있다. 이러한 꽃들의 모습에서 우리는 미래에 대한 희망과 의지를 발견할 수 있다.

봄의 고난

겨울의 추위가 깊어질수록
봄은 더욱 간절히 기다려진다

하지만 봄이 다가온 듯 싶으면
비바람이 닥쳐온다

어찌하여 하늘은
봄을 향한 생명의 갈망을
비바람으로 짓밟으려 하는가

雪沍寒凝幾月餘　설호한응 기월여
芳華纔發暮春初　방화재발 모춘초
只應生物皆天意　지응생물 개천의
風雨如何更暴渠　풍우여하 갱폭거

해설

이 시는 퇴계 선생의 夜吟(야음)을 현대적으로 풀이한 것으로, 겨울의 추위를 견디며 봄을 기다리는 생명의 모습을 통해, 삶의 고난과 역경에 대한 두려움과 희망을 표현하고 있다.

시의 첫 부분에서는 겨울의 추위가 깊어질수록 봄을 더욱 간절히 기다리는 생명의 모습을 보여준다. 겨울의 추위는 삶의 고난과 역경을 상징한다. 이러한 고난과 역경을 견디며 봄을 기다리는 생명의 모습은 삶의 희망과 의지를 보여준다.

시의 두 번째 부분에서는 봄이 다가온 듯 싶으면 비바람이 닥치는 모습을 보여준다. 비바람은 삶의 고난과 역경을 더욱 가중시키는 요소를 상징한다. 이러한 비바람은 생명의 희망을 짓밟을 수 있는 위협적인 존재이다.

시의 마지막 부분에서는 이러한 비바람에 대한 두려움을 표현하고 있다. 하늘이 왜 봄을 향한 생명의 갈망을 비바람으로 짓밟으려 하는지 의문을 제기한다. 이러한 의문은 삶의 고난과 역경에 대한 불안과 두려움을 표현하는 것이다.

솜씨와 조각

솜씨는 사람의 것이지
조각이 사람을 솜씨 좋게 하진 못하지
앎으로써 격물(格物)한다면
그 비유가 적당하지 못하지

조각을 잘하여 극치에 이른다면
그 극치에 이른 것은 사람이지
조각이 사물의 극치에 이르렀다 한다면
그 말은 얼마나 이치에 어긋나지

人巧能雕物　인교 능조물
雕寧巧得人　조녕 교득인
謂知能格物　위지 능격물
取譬恐非倫　취비 공비륜

雕而能詣極　조이 능예극
詣者豈非人　예자 기비인

謂物雕能詣 위물 조능예

言何太不倫 언하 태불륜

해설

이 시는 퇴계 이황 선생의 한시(辨存齋辨物理之極處無不到詩, 二首)를 현대적으로 풀이한 것으로, 앎과 행위의 관계에 대한 깊은 통찰을 보여준다.

시의 첫 부분에서는 '솜씨'를 '사람의 능력'으로, '조각'을 '외부적인 노력'으로 비유하고 있다. 선생은 '솜씨는 사람의 것이지, 조각이 사람을 솜씨 좋게 하진 못한다'고 말하여 솜씨는 사람이 노력을 통해 쌓아 올린 능력이라는 점을 강조하는 것이다.

시의 두 번째 부분에서는 '앎'을 '내면의 변화'로, '격물'을 '외부적인 노력'으로 비유하고 있다. 선생은 '앎으로써 격물한다면, 그 비유가 적당하지 못하다'고 하여 앎은 내면의 변화를 가져오는 것이지, 외부적인 노력을 통해 이루어지는 것이 아니라는 점을 강조하는 것이다.

시의 마지막 부분에서는 '조각'을 '외부적인 결과물'로, '사물의 극치'를 '내면의 완성'으로 비유하고 있다. 선생은 '조각을 잘하여 극치에 이른다면, 그 극치에 이른 것은 사람이지, 조각이 사물의 극치에 이르렀다고는 할 수 없다'고 조각의 극치는 조각을 하는 사람의 능력과 노력에 달려 있다는 점을 강조하는 것이다.

한가한 낚시질

태평 시절 병이 많아 일찍부터 한가하여
만사는 낚싯대에 맡기고 아무것도 개의치 않네
작은 배를 젓다 말고 달빛 아래 잠들고
찬 낚싯줄 챙기고는 바람 맞으며 밥 먹으니

갈대꽃과 단풍잎은 깊은 가을 언덕이요
대 삿갓에 도롱이옷 실비 오는 여울이라
우습구나 전날에는 이내 발을 잘못 디뎌
붉그레한 먼지 흙에 높은 갓을 빠뜨렸네

清時多病早投閒　청시다병 조투한
萬事漁竿本不干　만사어간 본불간
小艇弄殘宜月宿　소정농잔 의월숙
寒絲收罷任風餐　한사수파 임풍찬

荻花楓葉深秋岸　적화풍엽 심추안
箬笠蓑衣細雨灘　약립사의 세우탄
可笑從前閒失脚　가소종전 한실각
軟紅塵土沒高冠　연홍진토 몰고관

해설

이 시는 퇴계 이황 선생의 한시(釣魚)를 현대적으로 풀이한 것으로, 태평 시절의 한가한 삶을 통해 삶의 소중함과 자연의 아름다움을 노래하고 있다.

시의 첫 부분에서는 태평 시절에 병이 많아 일찍부터 한가한 삶을 살게 되었고 세상의 모든 일을 낚싯대에 맡기고 아무것도 개의치 않는다. 이는 세상의 모든 일에 구애받지 않고, 오직 자연과 함께하는 삶을 추구하고 있음을 보여준다.

시의 두 번째 부분에서는 한가한 삶의 모습을 생생하게 보여준다. 시인은 작은 배를 젓다가 달빛 아래 잠들고, 찬 낚싯줄을 챙기고는 바람 맞으며 밥을 먹는다. 이러한 모습은 시인이 자연과 하나 된 삶을 살고 있음을 보여준다.

시의 세 번째 부분에서는 인간적인 모습을 보여주고 있는데, 우연히 발을 잘못 디뎌 높은 갓을 먼지 흙에 빠뜨리고 만다. 이러한 모습은 시인이 평범한 인간임을 보여준다.

산속 서당

서당이 반이나 이루어져 기쁘구나
산속에서 살면서도 밭일은 면했네
서책을 점차 옮겨 오니 책상자 다 비었고
대를 심어 바라보니 죽순 새로 나는구나

샘물 소리 고요한 밤에도 방해가 되지 않고
산빛이 좋은 갠 아침 더욱 사랑하네
예부터 산림 선비들이 만사를 잊고
이름을 숨긴 그 뜻을 이제야 알겠구나

自喜山堂半已成　자희산당 반이성
山居猶得免躬耕　산거유득 면궁경
移書稍稍舊龕盡　이서초초 구감진
植竹看看新筍生　식죽간간 신순생

未覺泉聲妨夜靜　미각천성 방야정

更憐山色好朝晴　갱련산색 호조청

方知自古中林士　방지자고 중림사

萬事渾忘欲晦名　만사혼망 욕회명

해설

이 시는 퇴계 이황 선생의 한시(陶山言志)를 현대적으로 풀이한 것으로, 산속 서당에서 살며 자연과 하나 된 삶을 추구하는 선비의 모습을 통해 삶의 의미와 가치를 노래하고 있다. 시의 첫 부분에서는 서당이 반쯤 이루어져서 기뻐하는 선비의 모습을 보여준다. 선비는 산속에서 살면서도 밭일은 면할 수 있었다. 이는 선비가 자연과 하나 된 삶을 추구하고 있음을 보여준다. 시의 두 번째 부분에서는 선비의 삶의 모습을 구체적으로 보여준다. 선비는 서책을 점차 옮겨 와서 책상자를 다 비웠다. 이는 선비가 학문과 교화를 통해 세상에 기여하고자 하는 의지를 보여준다. 또한, 대를 심어 죽순이 새로 나는 모습을 바라보며 기뻐한다. 이는 선비가 자연의 순환과 생명의 소중함을 느끼고 있음을 보여준다. 시의 세 번째 부분에서는 선비의 감정을 직접적으로 표현한다. 선비는 샘물 소리가 고요한 밤에도 방해가 되지 않고, 산빛이 좋은 갠 아침을 더욱 사랑한다. 이는 선비가 자연 속에서 느끼는 편안함과 행복을 보여준다. 시의 마지막 부분에서는 선비가 산림 선비들의 삶을 이해하게 된 모습을 보여준다. 선비는 예부터 산림 선비들이 만사를 잊고 이름을 숨긴 채, 자연과 하나 된 삶을 추구했음을 깨닫는다. 이는 선비가 산림 선비들의 삶의 의미와 가치를 인정하고 있음을 보여준다.

상산사호(商山四皓)31)

선비 갓에 오줌 누니32)
그 임금을 섬길 수 있겠나
후한 폐백 받고
아녀자를 따라갔으나

천년 뒤에 높은 이름 남은 것은
그때 다시 산으로 돌아왔기 때문일세

溺冠曾恥事龍顏　요관증치 사용안
應幣還隨兒女間　응폐환수 아녀간
尚得高名千載後　상득고명 천재후
應緣當日再還山　응연당일 재환산

---

31) 동원공(東園公), 기리계(綺里季), 하황공(夏黃公), 녹리선생(甪里先生)이
　　다.
32) 한 고조(漢高祖)가 임금이 되기 전에, 유학자(儒學者)를 멸시하여 그들
　　을 만나면 갓을 벗겨 오줌을 누었다.

해설

이 시는 퇴계 이황 선생의 한시(商山四皓)를 현대적으로 풀이한 것으로, 후한 말기의 상산사호의 일화를 바탕으로 하고 있다. 상산사호는 후한 광무제의 숙부인 유자량이 폐백을 보냈을 때, 이를 거절하고 산으로 돌아간 네 명의 선비로 동원공(東園公), 기리계(綺里季), 하황공(夏黃公), 녹리선생(甪里先生)을 말한다. 이 선생은 상산사호의 행동을 통해, 권력이나 명예에 굴복하지 않는 것이 진정한 선비의 자세임을 강조하고, 현실에 타협하지 않고 자신의 신념을 지키는 것이 중요하다는 메시지를 전달하고 있다.

시의 첫 부분에서는 상산사호의 행동을 비판하는 태도로 '선비 갓에 오줌 누니 그 임금을 섬길 수 있겠나'라고 말하니, 상산사호가 유자량의 폐백을 받아들이고 궁궐로 들어가는 것은, 선비로서의 신분을 저버린 행위임을 지적하는 것이다.

시의 두 번째 부분에서는 상산사호의 행동을 이해하여 '후한 폐백받고 아녀자를 따라갔으나'라고 말해 처음에는 유자량의 폐백을 받아들인 것은, 당시의 혼란한 정치 상황 속에서 자신의 신변을 보호하기 위한 선택이었음을 이해한다.

시의 마지막 부분에서는 상산사호의 행동을 칭찬하는 태도로 '천년 뒤에 높은 이름 남은 것은 그때 다시 산으로 돌아왔기 때문일세'라고 말하면서 자신의 신념을 지키기 위해 궁궐을 떠나 산으로 돌아간 것은, 진정한 선비의 자세임을 강조하는 것이다.

고향 그리움

티끌 속의 모기처럼
세속의 화려함을 즐기지 못해
어느 저녁 가을바람에
고향의 그리움이 더욱 간절해졌네

만리 가는 돛배에
바람이 불어 주니
순채와 농어를 싣고
고향으로 향하게 되었네

세상 사람들은
순채와 농어 때문이라고 말하지만
나는 그저
고향으로 돌아가는 것만이 중요했다네

望塵蚊蛃不同娛　망진문예 부동오
一夕驚秋倍憶吳　일석경추 배억오
萬里歸帆風與便　만리귀범 풍여편
任他人道爲蓴鱸　임타인도위순로

해설

이 시는 퇴계 이황 선생의 한시(江東歸帆)를 현대적으로 풀이한 것으로, 고향에 대한 그리움을 통해, 현실에 대한 불만과 진정한 삶의 의미에 대한 고민을 드러내고 있다.

시의 첫 부분에서는, 화자가 티끌 속의 모기처럼 세속의 화려함을 즐기지 못해 고향을 그리워한다는 내용으로 화자가 현실에 대한 불만을 가지고 있음을 보여준다.

시의 두 번째 부분에서는, 화자가 고향으로 돌아가고자 하는 마음이 강하게 드러내 진정한 삶의 의미를 고향에서 찾고자 하는 마음을 보여준다.

시의 마지막 부분에서는, 화자가 고향으로 돌아가는 이유가 순채와 농어 때문이라는 사람들의 말에 신경 쓰지 않는다는 내용으로 화자가 고향으로 돌아가는 것이 진정한 삶의 의미를 찾는 것임을 강조하고 있다.

세상을 살아가는 자세

천지가 뒤집히는 일 따위는
따지지 말자
가을 향기 가득한 동산에서
그저 살아가자

아무도 알아주지 않아
거문고 줄을 쓸 데 없지만
의를 사모하는 사람의 발자취는
존귀하다

地覆天飜事莫論　지복천번 사막론
秋香佳色滿霜園　추향가색 만상원
知音世遠絃無用　지음세원 현무용
慕義人攀足亦尊　모의인반 족역존

해설

이 시는 퇴계 이황 선생의 한시(栗里隱居)를 현대적으로 풀이한 것으로, 세상의 부조리와 불합리함에 대해 좌절하지 않고, 자신의 삶에 충실하라는 메시지를 전하고 있다.

시의 첫 부분에서는, 천지가 뒤집히는 일은 어쩔 수 없는 일이니, 이에 대해 걱정하지 말고, 현재의 삶에 충실하라는 내용으로 세상의 부조리와 불합리함에 대해 좌절하지 않고, 자신의 삶에 충실하라는 메시지를 전한다.

시의 두 번째 부분에서는, 아무도 알아주지 않아도, 의(義)를 사모하는 사람은 존귀하다는 내용으로 의를 추구하는 것은 세상의 인정을 받기 위한 것이 아니라, 자신의 삶의 가치를 실현하기 위한 것임을 강조한다.

선생의 덕

하늘이 선생[33]을 낳으니
건곤(乾坤)의 이치를 알리셨네
깨끗한 그 가슴에
티끌 한 점 없으시네[34]

아름답고 맑고 통한
그 꽃이여
꽃 가운데 군자[35]로서
그 묘함은 말할 수 없네

天生夫子闢乾坤　천생부자 벽건곤

灑落胸懷絶點痕　쇄락흉회 절점흔

卻愛淸通一佳植　각애청통 일가식

花中君子妙無言　화중군자 묘무언

---

33) 염계(濂溪) 즉 주돈이(周敦頤)를 가리키는데, 그가 〈태극도(太極圖)〉를
　　그려서 건곤(乾坤)의 이치를 밝혔다.
34) 황산곡(黃山谷)이 주돈이의 인품을 칭찬하여, "흉금(胸襟)이 쇄락하여 광
　　풍제월(光風霽月)과 같다." 하였다.
35) "연(蓮)이 탁한 물에 났으면서도 맑고, 줄기의 속은 비어 통한다." 하였
　　는데, 이것은 주돈이의 〈애련설(愛蓮說)〉에 있는 말이다.

해설

이 시는 퇴계 이황 선생의 한시(濂溪愛蓮)를 현대적으로 풀이한 것으로, 주렴계 선생의 덕을 찬양하고 있습니다.

시의 첫 부분에서는, 선생이 하늘로부터 낳아져, 건곤의 이치를 알게 되었으니 선생이 지혜롭고, 덕이 높은 사람임을 나타냅니다.

시의 두 번째 부분에서는, 선생의 마음 속에 티끌한 점 없는 청렴하고, 올곧은 사람임을 표현한다.

시의 세 번째 부분에서는, 선생의 아름다움과 덕을 찬양하여 연꽃과 같은 아름다운 사람이며, 연꽃은 꽃 가운데 군자임을 나타낸다.

이 시에서 화자는 선생을 하늘이 내린 존재로 표현하여 지혜롭고, 덕이 높으며, 아름다운 사람임을 강조하고, 또한, 청렴하고, 올곧은 사람임을 강조하여 시를 통해 우리는 선생의 높은 덕을 엿볼 수 있다. 선생은 지혜롭고, 청렴하며, 아름다운 사람으로 오늘날에도 우리에게 귀감이 되고 있다고 시를 펼치고 있다.

깨끗한 마음

차가운 눈가루 무더기로
얼음 수레바퀴가 굴러간다
멀리서 비치는 그 모습을 보며
굳건한 절개를 알겠다

더욱이 깨닫는다
깨끗한 그 빈 마음을
욕망이나 감정에 흔들리지 않는
그 굳건한 마음

아무것도 바라지 않는
그 깨끗한 마음

玉屑寒堆壓　옥설 한퇴압
氷輪迥映徹　빙륜 형영철
從知苦節堅　종지 고절견
轉覺虛心潔　전각 허심결

자연의 소리

실바람 불면 웃고
된바람 불면 울고
영륜36)이 만나주지 못해
저 깊은 곳에 숨겼네

크나큰 노랫소리
속절없이 머금고
자연을 품고 살아가는
그대의 마음과 같네

風微成莞笑　풍미　성완소

風緊不平鳴　풍긴　불평명

未遇伶倫采　미우　영윤채

空舍大樂聲　공함　대악성

---

36) 황제(黃帝) 때에 음악가 영륜이 곤산(崑山)의 대를 캐어서 율관(律管)을
만들었다.

새벽의 댓가지

새벽에 일어나
긴 대를 바라보니
서늘한 이슬이
쏟아진 듯 흥건하네

맑디맑은 운치
숲이 모두 비었는데
풍류가 넘쳐나네
숙여지는 댓가지들

晨興看脩竹　신흥 간수죽
涼露浩如瀉　양노 호여사
淸致一林虛　청치 일림허
風流衆枝亞　풍류 중지아

찬비에 우는 대나무

창문 앞에 서 있는
한 떨기 대나무
바스락바스락 찬비에
우는구나

마치도 시름겨운
초나라 손이
소상강37) 포구로
들어가는 듯하여라

窓前有叢筠　창전 유총균
淅瀝鳴寒雨　석력 명한우
怳然楚客愁　황연 초객수
如入瀟湘浦　여입 소상포

---

37) 소상강 언덕의 대숲이 유명하다.

돋아나는 죽순

바람과 우레가 몰아치자
여기저기 순이 돋아나네
호랑이가 웅크리고 용이 날치는 듯[38]

문 닫고도 죽순이 대 되는 것을 보니
나는 지금 소릉(少陵)을 배운다네[39]

風雷亂抽筍　풍뇌 난추순

虎攫雜龍騰　호확 잡용등

門掩看成竹　문엄 간성죽

吾今學少陵　오금 학소릉

---

38) 대 뿌리에서 죽순이 나는 것이 마치 호랑이가 웅크리고 용이 날치는 것
　같다는 말이다.
39) 두보(杜甫)인데, 그의 시에, "먼젓번에 난 죽순이 대나무가 된 것을 본
　다." 하였다.

어린 대

천 가닥 뿌리 겨우 소뿔처럼 돋더니만
어느새 열 길이나 칼처럼 뽑아졌네
비로소 비와 이슬 자태를 지니다가
바람서리 굳은 절개 벌써 나타나네

千角纔牛沒　천각 재우몰
十尋俄劍拔　십심 아검발
方持雨露姿　방지 우로자
已見風霜節　이현 풍상절

늙은 대

늙은 대 줄기에
어린 가지가 생겨나니
소소하고 그윽하고도 맑구나

푸른 이끼 부서지는 것
무엇이 상관이랴
마음껏 서늘한 기운 불어 내나니

老竹有孫枝　노죽 유손지
蕭蕭還閟淸　소소 환비청
何妨綠苔破　하방 녹태파
滿意涼吹生　만의 양취생

마른 대

가지와 잎사귀는
반쯤 이미 말랐으나
기운과 절개는
전혀 죽지 않았네

고량진미 차려 먹는 사람에게 말하노니
초췌한 선비라고 가볍게 여기지 마오

枝葉半成枯　지엽 반성고

氣節全不死　기절 전불사

寄語膏粱兒　기어 고량아

無輕憔悴士　무경 초췌사

꺾여진 대

굳센 목은 어쩌다가
꺾이게 되었지만
곧은 그 마음이야
깨어질 바 아니로다

꼿꼿이 서 있어서
흔들리지 않으니
쓰러지고 나약한 자
격려할 만하도다

強項誤遭挫　강항 오조좌
貞心非所破　정심 비소파
凜然立不撓　늠연 입불요
猶堪激頹懦　유감 격퇴나

외로운 대

노인을 잘 돌본다는 말40) 들었으니
어찌 아니 돌아가랴

폭력으로 폭행을 바꾸려하니41)
어디로 갈 것인가

이때문에 더더욱 외롭게 되었으니
곡식이 풍족해도 내 몫이 아니어라

聞善盍歸來 문선 합귀래
易暴將安適 역포 장안적
從此更成孤 종차 갱성고
有粟非吾食 유속 비오식

---

40) 고죽군(孤竹君)의 두 아들 백이(伯夷)와 숙제(叔齊)가, 주 문왕(周文王)
이 양로를 잘한다는 말을 듣고, "내가 듣건대 서백(西伯)이 양로를 잘한다
니, 왜 그리 돌아가지 않으랴." 하고 주나라로 갔다.
41) 주 문왕이 죽고 무왕(武王)이 은(殷)나라를 치려 하자, 백이와 숙제가 말
리다가 되지 않으니, 서산(西山)에 숨어서 노래를 짓기를, "폭력으로 폭력
을 바꾼다." 하였다.

해설

퇴계 선생의 시(星山李子發。號休叟。索題申元亮[42]畫十竹)를 현대적으로 풀이한 이 시는, 대나무를 통해 굳건한 절개와 깨끗한 마음을 노래하고 있다.

시의 첫 부분에서는, 차가운 눈가루와 얼음 수레바퀴를 통해 굳건한 절개를 표현하여 눈가루와 얼음은 모두 대나무에겐 시련과 고통을 주는 물질이다. 하지만 욕망이나 감정에 흔들리지 않는 대나무의 굳건한 절개를 표현하고 있다.

시의 두 번째 부분에서는, '바람에 흔들리는 대나무'를 통해 깨끗한 마음을 표현하고 있다. 바람은 변덕스럽고 예측하기 어려워 욕망이나 감정처럼 언제든지 변할 수 있는 마음을 상징하지만 대나무는 바람에 흔들리면서도 자신의 모습을 잃지 않는다.

시의 세 번째 부분에서는, '새벽의 이슬'을 통해 맑은 운치를 표현하고 있는데 이슬은 맑고 투명하여 욕망이나 감정으로 가득 찬 세상 속에서 맑고 투명한 마음을 유지하고자 하는 마음을 상징한다.

시의 네 번째 부분에서는, '창문 앞의 대나무'를 통해 시름겨운 마음을 표현하고 있으니, 바스락거리는 댓가지 소리는 쓸쓸함과 외로움을 느끼게 하여 세상이 어지러운 현실 속에서 시름겨움을 느끼는 마음을 상징한다.

---

42) 신원량(申元亮) : 신잠(申潛)으로, 자가 원량(元亮)이다. 대[竹]를 잘 그리기로 유명하였는데, 퇴계의 친한 벗이었다.

시의 다섯 번째 부분에서는, '바람과 우레'를 통해 새로운 변화를 상징한다. 이는 세상이 어지러운 현실 속에서도 새로운 시작을 꿈꾸는 마음을 표현하고 있다.

시의 여섯 번째 부분에서는, 대나무가 자라는 모습을 통해 성장을 표현하고 있으니, 대나무는 빠르게 자랍니다. 이는 세상이 어지러운 현실 속에서도 끊임없이 성장하고자 하는 마음을 상징합니다.

시의 일곱 번째 부분에서는, 늙은 대나무에 새 가지가 생기는 모습을 통해 희망을 표현하여 늙은 대나무는 죽은 것처럼 보이지만, 새 가지가 생기면서 새로운 생명이 시작된다. 이는 세상이 어지러운 현실 속에서도 희망을 잃지 않는 마음을 표현하고 있다.

시의 여덟 번째 부분에서는, 초췌한 선비를 통해 강인한 정신력을 표현하고 있으니, 외모는 초라하지만, 강인한 정신력을 지니고 있다. 어지러운 현실 속에서도 강인한 정신력을 유지하고자 하는 마음을 펼치고 있다.

시의 아홉 번째 부분에서는, 꺾인 대나무를 통해 굴하지 않는 의지를 표현하고 있다. 꺾인 대나무는 겉으로는 부러졌지만, 속으로는 여전히 곧은 마음을 가지고 있어 세상이 어지러운 현실 속에서도 굴하지 않는 의지를 지키고자 하는 마음을 읊고있다.

시의 마지막 부분에서는, 노인들을 돌보는 곳으로 돌아가고 싶다는 마음을 표현하고 있으니, 어지러운 현실 속에서도 따뜻한 마음을 잃지 않고자 하는 마음을 표출한다.

이 시는 퇴계 선생의 시를 현대적으로 풀이하면서도, 그 의미와 함의를 잘 전달하고 있다. 특히, 대나무를 통해 굳건한 절개와 깨끗한 마음, 그리고 희망과 의지를 표현하는 방식은 매우 효과적이다. 이 시를 통해 우리는 세상이 어지러운 현실 속에서도 굳건한 절개와 깨끗한 마음을 지키고, 희망과 의지를 가지고 살아가야 한다는 교훈을 얻을 수 있다.

도서명 눈 속에서 피는 매화

발 행 | 2024년 6월 1일
저 자 | 檀山 박찬근
펴낸이 | 한건희
펴낸곳 | 주식회사 부크크
출판사등록 | 2014.07.15.(제2014-16호)
주 소 | 서울특별시 금천구 가산디지털1로 119 SK트윈타워 A동 305호
전 화 | 1670-8316
이메일 | info@bookk.co.kr

ISBN | 979-11-410-8662-6

www.bookk.co.kr
ⓒ 박찬근 2024